LA VIEILLESSE EN CAGE

Distribution pour le Canada :

QUÉBEC·**LIVRES**

2185, autoroute des Laurentides
Laval (Québec) H7S 1Z6
Téléphone: (450) 687-1210
Télécopieur: (450) 687-1331

Marie Désaulniers

LA VIEILLESSE EN CAGE
Poulaillers pour vieux

LES ÉDITIONS
PUBLISTAR
QUEBECOR MEDIA

LES ÉDITIONS PUBLISTAR
Une division des Éditions Quebecor Media inc.
7, chemin Bates
Outremont (Québec) H2V 4V7

Éditrice :   Annie Tonneau
Direction artistique :   Benoît Sauriol
Révision :   Corinne De Vailly, Paul Lafrance
Correction :   Luce Langlois
Infographie :   SÉRIFSANSÉRIF
Couverture :   Suzanne Vincent
Illustration de la couverture :   Judith Boivin-Robert

Catalogage avant publication de Bibliothèque et Archives Canada

Désaulniers, Marie, 1942-

La vieillesse en cage : Poulaillers pour vieux

ISBN 2-89562-129-2

1. Violence envers les personnes âgées - Québec (Province).
2. Personnes âgées - Soins en institutions - Québec (Province).
3. Foyers pour personnes âgées - Québec (Province). I. Titre.

HV6626.3.D47 2005   362.6   C2005-940711-5

Nous reconnaissons l'aide financière du gouvernement du Canada par l'entremise du Programme d'aide au développement de l'industrie de l'édition (PADIÉ) pour nos activités d'édition.

Gouvernement du Québec – Programme de crédit d'impôt pour l'édition de livres – Gestion SODEC.

© Les Éditions Publistar inc., 2005
Dépôt légal: troisième trimestre 2005
Bibliothèque nationale du Québec
Bibliothèque nationale du Canada
ISBN: 2-89562-129-2

Préface

Au Québec, les personnes âgées sont généralement bien traitées. Pourquoi dois-je dire « généralement » dans une société civilisée où les droits humains et le respect de la personne prévalent ?

Dans notre société civile, nous avons l'obligation de toujours bien traiter les personnes âgées. Malheureusement, la nature humaine nous apporte son lot d'horreurs et de situations inadmissibles. *La vieillesse en cage : Poulaillers pour vieux*, titre coup de poing mais révélateur de nos fréquentes lacunes, expose, dénonce le traitement inhumain que trop d'aînés subissent et subiront dans certains centres hospitaliers et centres d'accueil.

L'histoire d'Alice et Philippe est à peine romancée parce que, en fait, seuls les noms ont changé.

Souvenons-nous de l'histoire dramatique de Marie (nom fictif), maltraitée à la résidence Saint-Charles-Borromée, en 2003. Il a fallu que ses deux sœurs placent un magnétophone dans sa chambre pour que l'on prenne les plaignantes au sérieux et que la vérité sorte enfin. On y entend les insultes lancées à Marie par des préposés indignes de leur fonction. On y apprend que ses vêtements ont été détruits à grands coups de ciseaux. Comment imaginer que des gens responsables du bien-être de personnes âgées diminuées par la maladie puissent se transformer en véritables monstres !

Quand on constate que la grande majorité des 2 400 foyers pour personnes âgées n'ont pas de permis du ministère de la Santé et des Services sociaux (rapport d'octobre 2003), quand on apprend que les 80 000 personnes âgées placées dans ces institutions ne font l'objet d'aucune surveillance, que ces centres ne font l'objet d'aucune inspection et d'aucune sanction, l'étonnement disparaît au fur et à mesure que l'on tourne les pages du livre, puis l'indignation et l'écœurement s'installent dans nos cœurs et nos âmes sensibles à la vie humaine.

La loi du silence n'a plus sa place en ce siècle de modernité. La loi du silence n'a plus sa place en cette époque où les vieux seront de plus en plus nombreux d'ici les 30 prochaines années.

Espérons qu'une génération de nouveaux vieux et que les petits-enfants d'Alice et Philippe réduiront à néant les poulaillers pour vieux.

Jocelyne Cazin

mars 2005

Prologue

L'instinct de survie naturel, un paradoxe à la vieillesse qui s'insère, se creuse un peu plus chaque jour.

Au Canada, 3,6 millions d'aînés vivent en centres d'accueil. Cela représente 7 % des personnes âgées. On estime que ce chiffre atteindra les 5 millions en 2011, dont un peu plus de 40 % auront plus de 85 ans. Il est donc temps de se sensibiliser aux problèmes que vivent ces personnes.

J'ai décidé d'écrire ce livre pour une raison fort simple : ce qu'un être humain peut voir, entendre et subir a des limites.

Durant plusieurs années, j'ai travaillé dans un service de soins prolongés. À plusieurs reprises, j'ai eu l'occasion de rencontrer des gens qui occupaient des fonctions similaires auprès des personnes âgées, et ce, partout au Québec.

Maintes fois nous nous sommes raconté les atrocités dont nous étions témoins, bien conscients que nous ne pouvions rien changer à la réalité. Une réalité qui choquait, blessait et hantait régulièrement nos nuits. Au travail, les plaintes étaient rapidement étouffées en première instance. Malheur à celui ou celle qui oserait en informer les médias !

Dans cette zone grise à l'ombre des murs, la loi du silence s'impose. Bien sûr, cette loi n'est inscrite nulle part, mais il faut peu de temps pour comprendre que « le silence a bien meilleur goût ».

Si, malgré tout, vous osez rompre le silence, vos amis s'éloigneront et si, un jour, ils sont appelés à témoigner, leur mémoire deviendra subitement défaillante, sélective, incapable de se rappeler les détails précis. À partir de ce jour, on vous aura à l'œil. La tension sera si forte que le risque de commettre une erreur quelconque en sera d'autant accru.

Le jour est arrivé où l'écœurement et la révolte ont pris le dessus chez moi. Comme j'étais à la retraite et, par conséquent, hors de ces murs, une seule idée s'imposait : la dénonciation de tels actes. Chaque jour, des personnes âgées subissent humiliation et violence. Ces gestes sont quotidiens, parfois légers, parfois graves, mais jamais sans conséquence. Les vieux ne parlent pas : ils sont trop usés, trop fragiles. Les familles et les médecins ignorent tout.

Dans *La vieillesse en cage : Poulaillers pour vieux*, les faits et gestes violents sont véridiques et ils se sont produits un peu partout au Québec.

Certes, il aurait été moins lourd et plus facile d'écrire un roman à l'eau de rose où les choses se terminent bien, sauf qu'une fois de plus la vérité aurait été camouflée, édulcorée et n'aurait pas reflété la triste réalité que subissent nos aînés jour après jour. Cessons de faire les autruches !

Les retraités sont hantés par la seule pensée d'avoir à finir leurs jours dans ces établissements. Nous savons tous pourquoi. Il est grand temps que les autruches relèvent la tête et que les choses changent.

Le but précis de ce livre, me demanderez-vous ? **Redresser cette « société malade » et rendre à nos aînés tout le respect et la dignité qu'ils sont en droit de s'attendre à recevoir en tant que personnes à part entière. Une société qui ne respecte plus ses aînés est une société en décadence.**

À la suite d'événements que les médias nous ont abondamment rapportés, le gouvernement n'avait plus le choix. Il se devait de démontrer sa préoccupation ou sa volonté de régler ces problèmes. En 2005, le projet de loi 83 devrait être adopté.

Notre société est malade, violente et doit être soignée. Les médias nous le confirment jour après jour. L'incroyable se produit. Les enfants, les femmes, les aînés et les psychiatrisés sont en danger dans notre société qui se dit si évoluée. Le personnel doit être davantage formé en relations humaines pour répondre de façon plus appropriée aux besoins de notre société vieillissante. Ce personnel a besoin de cours où l'on revaloriserait les aînés, afin qu'ils puissent un jour être respectés et traités en tant que personnes ou êtres humains à part entière. **Il est là le problème, et c'en est un de société.**

Le projet de loi 83 doit modifier la Loi sur les services de santé et les services sociaux et d'autres dispositions législatives.

Le projet comporte quatre volets :

1. La gouverne

La gouverne du réseau en termes de description des responsabilités des différents niveaux de gestion. Les réseaux universitaires intégrés de santé, quelques tables de consultation nouvelles qui s'ajoutent au niveau régional pour les services pharmaceutiques et la médecine spécialisée.

2. Le traitement des plaintes

Plaintes qui ont fait l'objet d'une attention il y a quelques mois. Il serait trop long de vous décrire les comités et leur fonctionnement. Une chose est importante toutefois, c'est que l'on prévoit d'ajouter des représentants des usagers dans les conseils d'administration.

La protectrice des usagers sera désormais rattachée au bureau du Protecteur des citoyens, un organisme relevant de l'Assemblée nationale. Actuellement, elle est rattachée au ministre. Semble-t-il que c'est un changement appréciable.

3. La certification des résidences privées avec services pour les personnes en perte d'autonomie

Dans le projet de loi en cours, on demandera « sans l'exiger » que ces résidences s'inscrivent dans un registre, lequel comportera des exigences non encore déterminées. Les hôpitaux devront s'assurer dudit enregistrement avant de placer leurs aînés dans un centre d'accueil.

4. L'informatisation et la circulation de l'information dans le réseau

Mise en place d'un dossier qui comprendrait l'identité du patient et certains renseignements personnels. En plus viendraient s'ajouter la médication, les allergies, les résultats de laboratoire et les diagnostics. Ce dossier circulerait dans tout le réseau de la santé. Le consentement du patient serait obligatoire et conservé durant cinq ans. En tout temps, à sa demande, il y aurait possibilité de soustraire le dossier du réseau.

Voilà ! C'était un « bref » résumé du projet de loi.

Permettez-moi de m'interroger sur certains points en particulier, notamment sur celui du traitement des plaintes.

À la suite de la lecture de cette loi, je doute fort qu'elle puisse mettre fin à la violence et aux abus. N'oublions pas que la plupart de ces incidents se déroulent derrière une porte close, sans témoin, et que les victimes sont pour la plupart des personnes confuses ou très peu visitées.

Malgré ses efforts, je doute fort que le gouvernement, par cette loi, réussisse à éliminer la violence dont sont victimes les aînés en perte d'autonomie. Croyez-vous vraiment qu'une simple loi puisse transformer du jour au lendemain ces gens affaiblis, diminués, parfois confus, en individus braves et combatifs ? Croyez-vous vraiment que la loi enlèvera du jour au lendemain la peur des représailles en cas de plaintes ? Soyons francs et honnêtes, ces personnes craindront toujours les représailles. On le voit dans d'autres dossiers, la présence d'une loi ne guérit ni l'agressivité ni la pédophilie.

Croyez-vous qu'une société en décadence puisse se réajuster par une simple loi ? L'avenir se chargera sûrement de vous prouver le contraire.

Les aînés sont ignorés par la société. De nos jours, on valorise la beauté, la minceur, la performance, le rendement et l'argent. Voilà les valeurs de notre époque. Malheureusement, les vieux ne se qualifient point par ces valeurs. On les cache ou, pire, on les ignore tout simplement sans se préoccuper de leurs aspirations.

À la télévision, les vertus des crèmes antirides sont vantées par de jeunes femmes de 25 ans. Et n'avez-vous jamais entendu ces comédiennes qui se plaignent qu'après 40 ans les rôles se font de plus en plus rares ? On remplace la compétence par la jeunesse. Voilà notre société… Ce sont nos valeurs actuelles.

Je m'interroge aussi sur le troisième article du projet de loi : la certification des résidences privées avec services pour les personnes âgées en perte d'autonomie.

Je tiens à souligner que **tous** les incidents relatés dans cet ouvrage se sont produits dans des hôpitaux généraux et privés conventionnés, et dans certains centres d'accueil privés conventionnés. Tous ces établissements, sans exception, étaient pourtant reconnus et dûment agréés par le gouvernement. Ils devaient satisfaire à certains critères de qualité et de services. Et pourtant, le pire s'y est produit.

Bien entendu, l'établissement devant faire l'objet d'une inspection est toujours prévenu d'avance. Et ladite inspection se produit en présence des autorités de l'établissement. N'est-ce pas ainsi s'assurer que personne n'osera parler ?

De nos jours, lorsqu'on parle des aînés, on le fait en termes de « trop ». On craint l'avenir. Que ferons-nous d'eux ? L'euthanasie serait-elle la solution ? Bien sûr, on se garde de le dire : serait-il préférable de les faire mourir ? Ils sont si nombreux et coûtent déjà si cher. On craint les mots. Nous sommes au siècle des mots : on perd un temps fou à tenter de trouver des mots, au lieu de s'attarder aux maux.

Autrefois, les gens hospitalisés étaient des « **patients** » ou des « **malades** ». Avec le temps, de grands penseurs ont décidé qu'on devait plutôt les nommer « **bénéficiaires** ». Quelle absurdité ! Surtout lorsqu'on se réfère à la définition du dictionnaire, et je cite : « **Qui bénéficie d'un avantage, d'une faveur.** » Comme si c'était un cadeau qu'on leur offrait en les soignant. Pas étonnant de constater certains comportements ; après tout, ce sont des faveurs qu'on leur fait en les traitant.

Puis, les penseurs ont continué à se creuser la cervelle. Désormais, on emploie le mot « **client** », comme dans les grandes chaînes d'alimentation. Au dictionnaire, le mot « client » signifie : « **Personne qui reçoit quelque fourniture ou service en échange de paiement.** » Dans ce cas, pourquoi avons-nous oublié que « le client a toujours raison » ?

Humanisation des soins : foutaise ! Aujourd'hui, on humanise les soins en enfermant la personne qui hurle de douleur. On referme la porte sur « une criarde ». À l'urgence, on administre des lavements en plein corridor. C'est ça, l'humanisation des soins ? C'est ça, la dignité et le respect ? Les hôpitaux sont devenus des manufactures de traitements à la chaîne, que l'on tente de rendre «rentables» par tous les moyens.

La vieillesse a mal… Mal à son âme… Mal à son corps.

Elle a mal à son âme, par le…

Deuil

Deuil de sa maison, de son logement, de ses meubles, de ses souvenirs, de ses bibelots. Avec ce sentiment de ne plus être utile, de ne plus être consulté et encore moins revalorisé. N'est-ce pas suffisant pour devenir confus, révolté et d'avoir, à l'occasion, certains comportements jugés inacceptables aux yeux des soignants ?

Ennui et isolement

Les aînés en centre d'accueil s'ennuient. Leurs enfants et leurs petits-enfants leur manquent. À cela s'ajoute la perte des amis, du voisinage, de la vie de quartier, et parfois des animaux de compagnie.

Humiliation

Mal à l'âme parce que l'humiliation est au rendez-vous chaque jour. La personne âgée est soumise à un langage et à des comportements autoritaires qui l'infantilisent. Sa perte d'autonomie, ses incontinences sont réprimandées, sinon punies. Et que penser des soins d'hygiène que de jeunes hommes donnent à des dames âgées ? Savez-vous que l'on insère même dans la nourriture certains médicaments sans leur consentement ? Charte des droits et libertés de la personne ? Connais pas !

Sentiment d'inutilité

La personne âgée se sent inutile. On n'a plus recours à ses services. On ne la consulte jamais. Pire encore, on décide de tout à sa place.

Sexualité

En milieu hospitalier, la sexualité est mal vue ; elle n'a pas sa place et est considérée comme anormale. C'est à croire que l'être humain cesse de vivre en y entrant. Un sexagénaire surpris à se masturber dans sa chambre est qualifié de « vieux cochon ». Le personnel se répète la chose et commence à le craindre.

Incontinence

Depuis notre tendre enfance, on nous a éduqués à être propres, et ce, le plus tôt possible. Un enfant s'échappe, on le dispute. Ce ne sont que les bébés qui sont malpropres. La patiente incontinente subit la honte et trouve presque normal qu'on la gronde. L'intolérance du personnel s'installe, celle-ci est presque considérée comme normale. Il n'est pas rare que le personnel exprime son mécontentement par sa façon de parler : « Ah non, pas encore ! »

Si le budget est serré, on coupe dans la quantité de couches. Pire encore, on achète des couches pouvant absorber le plus grand nombre de mictions possible. Avant de changer une patiente, on relèvera ses jambes pour s'assurer que les trois lignes de la couche sont bien bleues. Ce qui confirmera qu'elle a eu au moins quatre mictions. Dans l'incertitude, une longue discussion aura lieu devant la patiente. Quelle humiliation ! L'incontinence est dérangeante et considérée anormale. C'est ça que l'on nous a appris. Inconsciemment, on réagit.

Mal à son corps

Nous savons tous que l'arthrose est une maladie qui affecte les articulations. Au Québec, 80 % des personnes de 75 ans et plus en sont affectées. Cette érosion ou usure des cartilages est très souffrante et devient une douleur chronique avec les années. Les chercheurs ne s'entendent pas sur ses causes. Ceci dit, les aînés en institution en souffrent fréquemment. Les douleurs rhumatismales et les raideurs musculaires sont aussi leur lot quotidien. À cela s'ajoutent parfois les souffrances d'un cancer en phase terminale et toute autre maladie.

Malheureusement, pour certains membres du personnel, les « p'tits vieux » ont une réputation de « chialeurs » et de « plaignards ». Trop souvent, on hésite à croire les patients, sous prétexte qu'ils ont développé une habitude, une dépendance aux médicaments.

Exemples

Une épouse se présente au poste des infirmières pour demander que l'on administre de nouveau une injection de morphine à son époux. Ce dernier se meurt d'un cancer généralisé. L'infirmière-chef lui répond : « À ce que je sache, votre mari n'a pas sonné. La sonnette de sa chambre n'est pas allumée. Ce n'est pas à vous de réclamer un calmant, mais bien à votre mari. Il ne faut pas lui mettre dans la tête qu'il en a besoin avant qu'il le demande lui-même... »

Incroyable, mais vrai ! Le patient semi-comateux est pourtant dans l'impossibilité d'atteindre la sonnette. La dame doit retourner dans la chambre, saisir la main de son mari et l'appuyer sur la sonnette.

Une autre dame aussi en phase terminale, mais lucide, envoie un visiteur réclamer la morphine qui devait lui être administrée, selon sa prescription médicale. La responsable de la patiente répond qu'elle va la lui apporter immédiatement. La dame se retire. En entendant le mot « morphine », la même infirmière-chef sort de son bureau : « Elle te manipule. Pas question qu'elle ait de la morphine. Commence par lui donner un placebo (pilule constituée d'eau et de sucre), ensuite on verra. »

Tout ça pour dire que parfois on passe outre aux prescriptions médicales. Malheureusement, les médecins ne prennent pas toujours le temps de lire les observations portées aux dossiers. Ce qui a pour conséquence que des incidents semblables à ceux-là passent inaperçus.

Vous avez un parent hospitalisé en soins prolongés ? Soyez présents auprès de lui. Ouvrez les yeux. Questionnez le personnel et surtout n'ayez

pas peur de soulever les draps. C'est par votre vi-
gilance que vous éviterez peut-être des incidents
fâcheux.

Chapitre 1

Chut! Silence! On allume les lumières. Alice et Philippe restent bouche bée. Leur visage pâlit et leurs jambes ont peine à les soutenir sous l'effet de la surprise, ou ne serait-ce pas plutôt du choc. En un instant, ils se retrouvent devant leurs 13 enfants et leurs 34 petits-enfants. Tous sont présents sans exception. Bien entendu, les gendres, brus et meilleurs amis sont aussi de la fête.

□

C'est le 24 juin 1938 qu'Alice et Philippe Bernier unissaient leur vie en la petite église de Saint-Pierre-de-Montmagny. Jamais en ce jour on n'aurait osé penser que le 24 juin 1998 une aussi grande famille les entourerait pour célébrer leur 50e anniversaire de mariage.

> *« Bien chers parents, c'est votre tour*
> *De vous laisser parler d'amour*
> *Bien chers parents, c'est votre tour*
> *De vous laisser parler d'amour[1] »*

Des applaudissements et des bravos fusent de partout. Soudain, Alice éprouve un léger malaise, une sorte d'étourdissement, un trop-plein d'émotion… Délicatement, elle tente d'atteindre la main de Philippe qui se tient debout, figé comme un petit soldat de plomb.

– Vite ! Approchez le fauteuil. Elle est presque évanouie, s'écrie Françoise.

Alerté par les cris de sa fille, Philippe se ressaisit.

– Voyons, ma bobichonne, qu'est-ce qui t'arrive ?

Édouard, le mari de Françoise, s'empresse de glisser l'un des deux fauteuils de velours or que l'on a pris soin de réserver pour l'occasion. Comme une poupée de chiffon, Alice s'y laisse tomber. Désemparé, ne sachant que faire, Philippe s'exclame :

– Il faut appeler un médecin !

---

1. Avec l'aimable autorisation de Gilles Vigneault et des éditions Le Vent qui vire.

Le docteur Bolduc, un vieil ami de la famille, se faufile entre les invités. Sans hésiter, il penche la tête sur la menue poitrine… Il écoute…

– Le cœur bat normalement. C'est probablement trop d'émotion pour elle, mais ça ira.

Le médecin passe délicatement un chiffon humide sur le front et les joues d'Alice. Quelques minutes s'écoulent… La vieille dame ouvre les yeux, se secoue un peu et découvre le visage inquiet de son mari. Mal à l'aise, elle tente un petit sourire du coin des lèvres en s'excusant et en prétextant qu'elle n'a pas pris sa petite collation cet après-midi, ce qui explique sans doute cette soudaine faiblesse. D'une main nerveuse, elle passe la main sur son chignon, s'assurant ainsi que ses cheveux sont bien en place. Philippe lui avait d'ailleurs confié, le jour de leurs fiançailles, qu'il était tombé amoureux de cette petite « tête d'ange », puisqu'à 25 ans, elle avait déjà ses cheveux blancs. Depuis ce jour, son complexe s'était transformé en coquetterie ; jamais plus il n'avait réussi à la surprendre décoiffée.

☐

Le jour de leur mariage, lorsqu'elle était entrée au bras de son père, Philippe se souvient. Au son de la marche nuptiale, le soleil, à travers les vitraux de l'église, avait soudainement coloré la petite «tête d'ange» en rose pâle, puis quelques secondes plus tard, en bleu pastel. Ravi de l'effet merveilleux sur cette chevelure, le nouveau marié avait prédit que leur premier enfant serait un « bébé rose » et le second un « bébé bleu ». Neuf mois plus tard, le curé du village baptisait deux poupons joufflus, emmaillotés de langes roses et bleus. Philippe, dont la virilité avait subi un coup d'orgueil, s'acharna et réussit à déposer 11 autres poupons dans les bras de sa «bobichonne».

Les deux derniers accouchements d'Alice furent pénibles : une présentation par le siège, provoquée par une chute sur la glace, alors qu'elle descendait du « berleau » pour se rendre à la messe de minuit et, à la dernière naissance, une grave hémorragie que seule sainte Marguerite parvint à circonscrire.

Ils connurent 49 ans de bonheur sur une petite terre fertile qui doubla de superficie à la suite d'un héritage.

□

L'année précédente, les enfants avaient enfin réussi à les convaincre de venir s'établir à Montréal. C'était plus près de toutes les commodités et les trois quarts des enfants s'y trouvaient déjà bien installés. Au même moment, leur terre fut expropriée, tout comme leur petite maison blanche à deux étages entourée d'une large galerie qui se terminait à l'entrée de la petite cuisine d'été.

À leur arrivée en ville, ils firent l'acquisition d'une autre coquette petite maison blanche, d'une soixantaine d'années, ressemblant en tous points à celle qu'ils avaient quittée avec regret. L'île de la Visitation était, selon Philippe, un bon choix ! Sans compter qu'ils pourraient voir de leur balcon de nombreux couchers de soleil sur la rivière des Prairies. Autre avantage, la superficie de leur terrain leur permettait de faire transporter leur vieille balançoire de bois sur laquelle ils fredonnaient si souvent leurs mélodies préférées.

« Au printemps de nos amours
Refleurira le muguet... »

Chapitre 2

À la table d'honneur, les héros du jour affi-
chent leur plus beau sourire. Le souper
gastronomique, à six services, tire à sa fin.
À tour de rôle, les invités quittent la table et discutent joyeusement, pendant que le personnel du
Buffet Napoléon s'affaire à desservir les tables et
à préparer la salle pour la soirée. Philippe, tout
en se pourléchant les babines, prend plaisir à tourner les pointes de sa grosse moustache blanche qui,
de l'avis de tous, lui confère un air de bonhomie.
Ses yeux bleus brillent ; sans doute savoure-t-il
encore le filet de truite saumonée servi en entrée.
Combien de fois a-t-il rapporté « d'la p'tite truite » à
la maison ? Combien d'étés cela représente-t-il ?
Ce soir, il n'a pas la tête à calculer, mais il se rappelle
bien vite que c'était le seul loisir qu'il s'accordait.

Il partait tôt, le dimanche matin, souvent même avant que le soleil ne se soit levé. Simon, l'un de ses jumeaux, l'accompagnait presque toujours. Il était vaillant, rapide et bon compagnon. La nature le passionnait. C'était un enfant sensible qui savait encore s'émerveiller devant une marguerite. Le simple chant du criquet le faisait rêver et il s'entretenait des heures et des heures avec son père. Et quelle curiosité ! « Papa, à quoi ça sert les criquets ? Oh, papa, combien de poissons il y a dans la rivière ? À quoi ça sert les grenouilles ? Tu dis que la rivière gazouille, qu'est-ce qu'elle dit, papa ? »

Soudain, Philippe constate qu'il est resté seul à la table d'honneur. Ici et là, on forme de petits groupes, tous plus joyeux les uns que les autres. Comme ils sont heureux de tous se rencontrer et combien d'anecdotes ils ont à se remémorer ! Un bonheur inexplicable remplit tout à coup son cœur. Quelques larmes même noient ses yeux. Cinquante ans de bonheur et d'amour. Cinquante ans à construire cette grande famille. Philippe se surprend à suivre des yeux sa « bobichonne ». Toute menue dans sa robe longue, il constate que le vieux rose lui va à merveille. Alice semble valser au milieu des invités. Comme toujours, elle a un bon mot pour chacun et un large sourire lui permet de dissimuler son âge. « Comment ça va dans tes études ? Votre logement vous plaît ? Toujours aussi bon golfeur ? Ah, bonjour, contente de constater que votre santé s'est améliorée, madame Grégoire. Et comment va votre dernier p'tit-fils ? Margot ! J'ai appris que tu as repris le travail, après avoir élevé ta famille, comment te sens-tu ? Quel courage ! »

Alice va et vient avec une parfaite adresse, distribuant des sourires, des « merci d'être venu » et de chaleureuses poignées de main, réservant toujours de « gros becs à pincettes » aux plus petits. Décidément, Philippe s'avoue ne jamais avoir cessé d'admirer ce petit bout de femme extraordinaire qui, toute sa vie, n'a semé que tendresse, bonheur, compréhension, affection et amour. Tel était son petit catéchisme de croyances.

Sans quitter des yeux sa « bobichonne », Philippe se lève, quitte la table et se dirige vers elle, sans même entendre les félicitations qu'on lui adresse sur son passage. Doucement, il saisit les épaules d'Alice, qui s'immobilise, et lui chuchote à l'oreille : « Alice, ma bobichonne, ma p'tite tête d'ange, si tu savais comme je t'aime. Merci... Merci pour cette grande famille. » La « p'tite tête d'ange » fixe le regard de celui qu'elle appelle en cachette « mon bel amant ». D'un geste mécanique, elle porte la main à son joli chignon blanc et leurs yeux se brouillent sous l'étreinte.

– Un, deux… Un, deux.

Quelques tapes sur le micro.

– Un moment d'attention, s'il vous plaît !

Les yeux se lèvent. Simon, qui fait office de maître de cérémonie, invite les gens à prendre place tout autour de la grande salle. Des tables rondes aux nappes blanches surmontées de bougeoirs les accueillent. Quelques minutes s'écoulent, le silence s'installe. Doucement les rideaux s'ouvrent. Melissa et Claudia, les jumelles rouquines aux yeux d'émeraude, se tiennent la main en attendant le signal de tante Françoise, leur indiquant le moment de descendre dans la salle. Les regards d'admiration se fixent sur ces bambines qui semblent sortir d'un conte de fées. C'est incroyable ! Dire qu'il y a à peine cinq ans, on regardait ces petites à travers les vitres de la pouponnière. Quel désastre ! Deux bébés aux cheveux rouges ! Sans doute un héritage de l'arrière-grand-mère.

☐

Depuis toujours, la famille avait souhaité que « l'bon Dieu » oublie ce facteur d'hérédité. La surprise fut d'autant plus grande que « l'bon Dieu », abusant de sa grande générosité, préféra en fabriquer deux du même modèle. Ce jour-là, Gabriel, le nouveau papa, hésita longuement à se rendre chez ses parents pour leur annoncer cette nouvelle qui le rendait plus ou moins heureux. Chemin faisant, il se répétait différentes phrases ou formules, cherchant celle qui serait la plus appropriée pour ne pas trop surprendre Alice et Philippe. Il frappa à leur porte.

– Philippe, veux-tu répondre ?

– Dix heures ! Veux-tu bien me dire qui peut nous arriver à cette heure-là ?

– Ah ! C'est toi, Gabriel ! Entre mon grand. Ta mère enfile ses pantoufles, ce ne sera pas bien long.

– Bonsoir, Gabriel ! Quel bon vent t'amène à cette heure ? Pas de maladie toujours ?

– Eh bien, voici ! Thérèse est à l'hôpital, maman. L'accouchement a eu lieu ce matin.

– Ce matin ? T'as bien dit ce matin ? Mais pourquoi ne m'as-tu pas appelé plus tôt ? Je sens que tu nous caches quelque chose, Gabriel…

– Allez-y, faites un vœu de naissance.

– Un gros garçon ! s'exclama Philippe, tout réjoui.

Alice, craignant le pire, hésita quelques secondes.

– Une belle fille ?

C'est en pleurant que Gabriel annonça à ses parents :

– Ni l'un ni l'autre a deviné. Imaginez donc qu'on a eu des jumeaux.

Alice en eut le souffle coupé. Philippe s'empressa de sortir le Saint-Georges et en remplit trois grandes coupes.

– Deux bébés du même coup, ça se fête !

Levant sa coupe bien haut, Philippe proposa un toast à la santé des jumeaux. Alice se leva, embrassa Gabriel et ajouta :

– Quelle joie ! Deux bébés, mais dis-nous de quel sexe ils sont !

– Deux filles, maman.

– Je ne comprends pas que tu aies l'air si déçu, mon garçon. Sont-elles en santé ?

– Tout à fait, en pleine forme.

– Alors ?

– Alors, il se trouve qu'elles ont les cheveux rouges, et toutes les deux, à part ça.

– Des jumelles aux cheveux roux ! Merci, mon Dieu ! Je savais bien qu'un jour mes neuvaines seraient exaucées !

– Qu'est-ce que tu dis là, maman ?

– Mon garçon, aussi loin que je me souvienne, j'ai toujours prié et espéré avoir un enfant roux ou, le cas échéant, un petit-fils roux. Voilà maintenant que je suis comblée. Deux belles petites-filles rousses, comme l'était ta grand-mère !

Philippe regarda son fils d'un air réjoui et lui donna une bonne tape sur l'épaule.

– Allons, mon grand, tu devrais avoir honte. Être rousse, c'est quand même pas une maladie contagieuse, non ? À te voir, on dirait que c'est pire que la « picotte volante ».

Gabriel sourit enfin et Philippe lui tendit la main :

– Félicitations, mon garçon. Demain, ta mère et moi serons les premiers à l'hôpital.

Tout en essayant de dissimuler son euphorie, Alice ajouta en tournant le dos à Gabriel :

– Si tu savais comme j'ai hâte de les serrer dans mes bras ! Je les adore déjà sans les connaître.

Ce soir-là, Alice eut beaucoup de difficulté à s'endormir et ne cessa d'expliquer à son mari tout le plaisir qu'elle prendrait à les « catiner », surtout qu'elles étaient rousses. Elle ne cessa de roucouler sous ses draps qu'aux petites heures du matin.

□

Se tenant toujours par la main, les deux gamines réagissent enfin au signal de tante Françoise, qui leur indique le moment venu. Mélissa et Claudia descendent de la scène et se dirigent vers leurs grands-parents. Comme elles sont mignonnes dans leur petite robe blanche à crinoline !

Sur leur tête, une couronne de muguet leur confère un air angélique. La main tendue, elles invitent les héros de la fête à les suivre. Alice et Philippe remontent le tapis rouge, en tenant bien serrées les petites mains qui les ont invités. Parents et amis se lèvent et applaudissent chaleureusement. Quel beau jour ! Que de souvenirs ! Que d'émotion !

Arrivés sur l'estrade, les jumelles indiquent à leurs grands-parents deux jolis fauteuils de velours or, surmontés d'un haut dossier, cadeaux des petits-enfants. C'est avec beaucoup d'émotion que grand-maman et grand-papa s'y installent et donnent une grosse bise aux deux gamines. On baisse l'éclairage. Seuls les bougeoirs des tables scintillent, pendant qu'un rayon bleuté éclaire la scène.

Simon, parchemin en main, s'éclaircit nerveusement la gorge avant de procéder à la lecture du traditionnel éloge :

« Papa, maman, ce soir, nous voulons vous raconter l'histoire d'amour dont vous avez été les merveilleux acteurs durant 50 ans. Le 23 juin 1913, une toute petite fille voyait le jour dans la paroisse Saint-Pierre-de-Montmagny. Ne pesant que 4 lb, elle fut ondoyée immédiatement et passa le premier mois de sa vie dans une petite boîte de bois déposée sur la porte du fourneau. La chaleur du poêle à bois étant, à l'époque, la meilleure façon de conserver une température normale aux nouveau-nés trop fragiles. Deux mois s'écoulèrent avant que l'on puisse procéder à la cérémonie du baptême sans craindre pour la santé de ce poupon que l'on nomma Alice. Au fil des ans, l'enfant fréquenta la petite école du rang de la Cannelle. Un soir qu'elle s'appliquait à ses devoirs, à la lueur d'une lampe à huile, Alice annonça à sa mère qu'elle était amoureuse d'un joli garçon qui s'appelait Philippe. Il lui était d'autant plus facile d'admirer ses yeux bleus qu'ils partageaient le même banc d'école... »

Simon relate les événements et certains faits cocasses, sans oublier le jour où Françoise avait décidé de peinturer en rose la jument brune du voisin. Finalement, la déclaration se termine ainsi : « Nos cœurs s'ouvrent bien grands pour vous dire merci. Merci de nous avoir communiqué cette joie de vivre, merci de ce grand amour qui n'a cessé de grandir jour après jour. Merci d'avoir su être parents, amis et confidents tout à la fois. Nous prions Dieu pour qu'il vous réserve de nombreuses années de santé et de bonheur parmi nous. Les mots suffisent à peine à vous démontrer les sentiments que nous avons à votre égard. Soyez assurés que nos cœurs conserveront à jamais cette chaleur et cet amour de la vie que vous avez su si bien nous faire partager. Maman, papa, mille bravos ! »

Pendant les applaudissements, Claudia offre à grand-maman une gerbe de 50 roses rouges, une pour chaque année de bonheur. Au même moment, Philippe reçoit, des mains de Mélissa, une magnifique lithographie signée Riopelle.

Délicatement, Alice porte son mouchoir de dentelle à ses yeux rougis, essayant de conserver ce sourire qui lui est propre.

Au micro, une petite voix, que l'on reconnaît comme étant celle de Mélissa, se fait entendre : « Grand-papa, grand-maman, on vous invite maintenant à ouvrir la danse sur votre chanson fétiche : *L'hymne à l'amour* d'Édith Piaf. »

Aux premières notes, Philippe sourit d'un air complice en invitant Alice.

« À nous deux, ma bobichonne. »

Plus rien ne compte, ils sont seuls au monde. Comme ils sont jolis ! Lui, grand et mince, avec sa grosse moustache blanche aux pointes retroussées. Elle, toute menue, avec son chignon blanc et son teint de pêche.

Peu à peu, chacun leur emboîte le pas et se joint à eux.

☐

– Maman… Maman… Ah non ! Vite le docteur !

Tous se précipitent à l'endroit d'où a surgi ce cri de détresse.

– Qu'est-ce qu'il y a ? s'exclame Gabriel.

Alice est allongée, inerte sur la piste de danse. Son visage pâle et ses yeux entrouverts traduisent le sérieux de son état. Terrassé, Philippe s'agenouille à ses côtés. Le docteur Bolduc s'avance.

– Éloignez-vous un peu, elle a besoin d'air.

On ausculte son cœur, prend ses pulsations au poignet. Le médecin entrouvre ses yeux qui réagissent à peine. Le coin gauche de sa bouche est affaissé, son bras gauche plus flasque et plus lourd que l'autre.

Le médecin se relève, jette un regard de sympathie vers Philippe qui pleure en silence.

– Y a-t-il un téléphone quelque part ?

– Oui, derrière les rideaux, répond Simon.

Le docteur Bolduc se dirige en toute hâte à l'endroit désigné et revient auprès d'Alice quelques instants plus tard.

– Docteur, de quoi s'agit-il ?

– J'ai demandé qu'on envoie une ambulance. Son état requiert des soins immédiats.

– De quoi s'agit-il au juste, docteur ? demande Philippe.

– Il est trop tôt pour établir un diagnostic.

Huit minutes plus tard, les ambulanciers sont sur place. Délicatement, on installe Alice sur la civière, la recouvre d'une couverture de laine rouge et l'attache avec les trois courroies de cuir. Simon décide d'accompagner sa mère dans l'ambulance. Arrivé au véhicule, c'est avec surprise qu'il aperçoit Philippe sanglotant et tremblant, appuyé sur la porte arrière.

– Pas question que je la laisse toute seule. Ma place est à côté d'elle.

– Papa !

Simon comprend vite qu'ils sont inséparables. Ils s'étreignent bien fort pendant que l'on place la civière dans le véhicule d'urgence.

– Il faut faire vite. Montez ! presse l'ambulancier.

Simon aide Philippe en le soutenant. On referme les portes sur eux, et la sirène retentit déjà. Ces quelques minutes de trajet semblent une éternité aux yeux de Philippe. Son regard reste rivé sur le visage d'Alice. Prières et larmes se confondent.

– Alice, n'aie pas peur, je suis là, juste à côté de toi.

Arrivés à l'hôpital, les ambulanciers se dirigent au pas de course vers l'arrière du véhicule et saisissent la civière. Les portes électriques de l'urgence s'ouvrent comme si, déjà, on les attendait.

Philippe et son fils se dirigent vers l'admission pour remplir le formulaire d'usage. À chacune des questions, Philippe hésite, cherche les réponses. Renversé par les événements qui se sont bousculés. Il en oublie même le prénom de sa belle-mère. Chaleureusement, son fils entoure ses épaules dans une accolade réconfortante et continue de répondre au long questionnaire pendant que Philippe éclate de nouveau en sanglots.

Le formulaire ainsi rempli, ils se retrouvent au poste des infirmières, craignant le pire.

– Nous accompagnons madame Bernier. Nous aimerions avoir de ses nouvelles. Est-ce possible ?

– Asseyez-vous juste là, l'équipe médicale est à ses côtés. Quand tout sera terminé, vous pourrez entrer.

– Merci.

Simon ne peut s'empêcher de penser : « Attendre ici… mais attendre quoi ? Un verdict ? Quel genre de verdict ? La mort peut-être ? Pauvre Papa ! Comment trouver les mots pour le réconforter ? Pour la première fois, ils sont séparés ! Le hasard a voulu que ce soit au soir de leurs noces d'or, alors qu'ils étaient entourés d'amour, d'attention. Jamais on ne pourra oublier ce triste événement. Aurait-il mieux valu les prévenir des préparatifs de cette fête ? À leur âge, une bonne ou mauvaise surprise peut être fatale. Alice a toujours aimé les surprises-parties. »

Tentant de trouver le pourquoi, Simon analyse en vain tous les événements de la journée sans en négliger le moindre détail.

La porte de chambre s'ouvre et se referme sans cesse. L'équipe médicale va et vient sans arrêt. Impossible de lire une réponse ou un diagnostic sur ces visages préoccupés. Tour à tour, les appareils à électrocardiogramme et de radiologie défilent. Une infirmière transporte un petit bocal contenant un spécimen d'urine et cinq petits tubes de sang. Le temps est suspendu. Philippe suit des yeux tous ces déplacements sans mot dire.

– Monsieur Bernier, vous pouvez maintenant entrer quelques instants. Votre épouse se repose. Vous pourrez nous appeler demain, dans le courant de l'avant-midi, pour connaître les résultats des examens et tests de labo.

Comme un robot, Philippe se lève et pénètre dans la chambre sur la pointe des pieds.

Le spectacle est saisissant. Sa « bobichonne » respire difficilement et bruyamment sous un masque à oxygène. Tout près de sa tête, un goutte-à-goutte relié à son bras droit diffuse un soluté. D'une main délicate, Philippe descend légèrement le drap blanc qui la recouvre et dépose une grosse bise noyée de larmes sur la petite main fragile et froide. Redressant la tête, il constate qu'Alice ne réagit plus. Elle ignore même qu'il est là, à ses côtés. Nerveusement, il inspecte les lieux et les nombreux appareils médicaux. Derrière la porte, une mini-garde-robe entrouverte et la robe rose d'Alice négligemment placée dans un sac de plastique transparent, sur lequel est inscrit : «Madame Bernier, salle d'urgence, civière numéro 4».

Après un long moment à scruter ce visage qu'il reconnaît à peine, Philippe, épuisé, se résigne à rejoindre Simon.

— Bonne nuit, ma bobichonne. Si tu savais comme j'ai peur ! Si tu savais comme j'ai mal ! Je t'aime tellement !

Chancelant, il retrouve son fils.

— Papa, assieds-toi ici, juste le temps que j'aille, à mon tour, saluer maman.

Pendant ce temps, deux jeunes filles en uniforme blanc sont arrivées au chevet de madame Bernier. Lampe de poche en main, elles ouvrent les yeux d'Alice en dirigeant la lumière directement sur la pupille, et cela à tour de rôle.

— Madame Bernier ! Madame Bernier ! Serrez-moi la main si vous m'entendez.

Aucune réaction. Les deux jeunes filles se retirent en discutant à voix basse.

– C'est un cas très intéressant.

– Bonne nuit, maman ! Ne t'inquiète plus. Tout ira bien, maintenant. On s'occupe de toi. Tu seras avec papa dans quelques jours, tu verras. Je t'aime.

Une bise sur le front et il se retire les yeux rougis et les traits du visage tirés.

– On y va, Papa ?

Philippe acquiesce d'un signe de tête, tout en se levant.

□

Chemin faisant, Simon réussit à convaincre son père de passer la nuit chez lui. Question de l'encourager et de ne pas le délaisser dans cette grande épreuve. À peine Philippe a-t-il pénétré dans la maison que Géraldine, sa bru préférée, lui fait couler un bon bain tiède, tel qu'il en a l'habitude. Simon, de son côté, lui verse un grand verre de lait chaud avec miel et cannelle. Une vingtaine de minutes plus tard, installé confortablement dans la chambre d'amis, il ronfle à qui veut l'entendre.

Durant ce temps, le téléphone ne cesse de sonner. Parents, amis et connaissances sont à l'affût de nouvelles. Tous ces événements se sont précipités si rapidement que personne n'ose encore y croire.

— Ce n'est pas possible ! Alice, séparée de nous, ce soir… Alors qu'il y a quelques heures, elle ouvrait la danse, à l'occasion de leurs noces d'or.

— Malheureusement, nous sommes incapables d'y changer quoi que ce soit pour le moment.

— Je sais, Géraldine, mais si tu savais comme j'espère les conserver tous les deux, et le plus longtemps possible. Ils ont toujours été des parents exemplaires.

— Bonne nuit, mon chéri ! Repose-toi bien. Les jours à venir seront peut-être pénibles. Qui sait ce qu'ils nous réservent ?

— Bonne nuit, mon amour !

□

À son réveil, Philippe s'étonne d'avoir dormi toute la nuit. Il est déjà 8 h. La fatigue d'une longue journée et, surtout, le déroulement des événements de la veille, ajoutés à son âge, ont certainement contribué à brûler toutes ses énergies.

— Je me sens un peu mal à l'aise. Alors que ta mère est hospitalisée, moi, je roupille toute la nuit comme un enfant, sans me soucier d'elle.

— Rassurez-vous, papa, c'est très normal. Vous étiez mort de fatigue et aviez un besoin urgent de récupérer. Maman aura sûrement besoin de vous et de toutes vos énergies pour l'encourager.

C'est alors que le téléphone sonne.

– Ce doit être le médecin.

– Allô, j'écoute… oui, oui, je suis son fils. Pouvez-vous me rappeler le nom du médecin ? Ça va, merci. Pardon ? Bien sûr, j'attends…

– Monsieur Bernier ? Docteur Gagnon.

Simon se tire une chaise de cuisine et s'assoit lentement. Ses yeux s'agrandissent et semblent digérer chaque mot prononcé par le médecin. Philippe contourne à grands pas la table. Il s'installe derrière son fils, lui frottant les épaules de ses deux mains.

La conversation téléphonique dure une quinzaine de minutes. Simon ne pose aucune question, se contentant d'écouter religieusement. Son teint pâlit peu à peu.

– Merci d'avoir appelé, docteur. Au moindre changement, nous aimerions être avisés, d'accord ? C'est ça ! Merci docteur.

Déposant lentement le récepteur, Simon se tourne vers son père qu'il étreint en pleurant.

– Pauvre maman ! Pauvre papa !

Simon se ressaisit, ne se pardonnant pas de s'être laissé aller. C'est un geste trop égoïste, son père a tant besoin de réconfort.

En sourdine, Géraldine prépare le café, sans doute aidera-t-il à mieux comprendre tout ce que le médecin vient d'annoncer.

Attablés dans la petite salle à manger, ils sirotent silencieusement cette boisson chaude qui, l'espèrent-ils, leur fera bénéficier de toutes ses propriétés magiques. Après un long moment, Simon se décide enfin à rompre le silence.

– Le docteur Gagnon et l'équipe médicale ont procédé à une série d'examens et de tests pouvant mener à un diagnostic. Maman a été victime d'un accident vasculaire cérébral, vulgairement appelé AVC dans le jargon médical.

– AVC ? Qu'est-ce que ça mange en hiver, ça, mon garçon ?

– Je m'explique. Maman est maintenant paralysée du côté gauche.

Philippe penche sa tête sur la table et éclate en sanglots dans le creux de ses bras.

– C'est pas vrai, Simon ! Dis-moi que tu t'es trompé. T'as pas compris ce que le médecin a voulu dire. Ta mère a toujours été en bonne santé, voyons !

– Aussi loin que je me souvienne, tu as raison, papa. À part pour ses accouchements, jamais elle n'a consulté un médecin. Ce qui veut dire que, de cette façon, sa tension artérielle n'a jamais été contrôlée. C'est donc à la suite d'une forte hausse de sa tension artérielle que l'AVC s'est produit.

Géraldine ne peut le croire. Caressant doucement les cheveux de son beau-père, elle scrute sans cesse le visage de son époux, tentant de deviner toutes les conséquences possibles d'une telle épreuve. La voix de Simon s'étrangle peu à peu.

— Le docteur Gagnon dit que, malgré tout, elle est chanceuse que la paralysie se soit logée du côté gauche, puisque à droite, la paralysie prive les gens de la parole.

— En v'là une chance ! Y manquerait plus que ça ! s'écrie Philippe.

Ce dernier se fait insistant.

— Simon, je t'en prie, ne me cache pas la vérité. Il faudra combien de jours avant qu'Alice soit de retour avec moi dans l'île ?

— Plusieurs jours, tout dépend des dommages causés et des difficultés que maman rencontrera. Réapprendre à marcher à son âge peut demander beaucoup plus d'énergie, sans oublier qu'elle devra aussi faire beaucoup d'exercices pour tenter de réanimer son bras et sa main. Cependant, il faut espérer. Le médecin m'a assuré que le service de physiothérapie lui apportera une attention spéciale, afin qu'elle recouvre le maximum de ses facultés.

Géraldine offre un second café, qu'ils s'empressent d'accepter. Chacun le déguste en tournant et retournant sa tasse sur la table. Un silence lourd remplit la maison. Seuls les gosiers font entendre la salive abondante que l'on réussit difficilement à avaler.

□

La vie reprend son cours. Philippe retourne vivre, ou plutôt attendre le retour d'Alice, dans son île. Rares sont les après-midi où il ne se rend pas voir sa « bobichonne ». Rien n'est épargné : affection, amour, tendresse, encouragement de toutes sortes, sans oublier la kyrielle de gourmandises desquelles Alice savait si bien se délecter dans la balançoire. Laura Secord, bonbons d'été, pastilles au beurre, menthes digestives, biscuits de fantaisie et, bien entendu, un éventail de fruits de saison.

À quelques reprises, la physiothérapeute invite même Philippe à participer aux séances d'exercices de son épouse. Cela a pour effet de la stimuler davantage. Au moindre mouvement, si mal réussi soit-il, Philippe y va d'un paquet d'éloges. Alice, flattée du succès remporté, se contente de sourire. De leur côté, les enfants établissent un horaire de rotation, indiquant à chacun le soir où il doit se rendre au chevet d'Alice. De cette façon, elle est continuellement entourée et n'a pas le temps de penser. Philippe, trouvant le temps de plus en plus long, invente même une façon bien à lui de s'encourager. Chaque soir, avant de se mettre au lit, il prend la plume préférée de sa « p'tite tête d'ange » et encercle la date sur le calendrier. Une journée de moins à vivre hors de la présence d'Alice. Une journée de plus de physiothérapie et de chance de se rétablir au maximum.

□

Un soir, après avoir marqué la page du calendrier, il s'endort en pensant : « Sept longues semaines se sont écoulées. Ça ne peut plus être bien long. Encore quelques jours et nous serons de nouveau réunis. Que de rêves nous pourrons à nouveaux réaliser ensemble ! Je t'aime. Je t'embrasse, ma bobichonne. »

Chapitre 3

ui allô !

— J'aimerais parler à monsieur Gabriel Bernier, s'il vous plaît.

— Lui-même, madame, à qui ai-je l'honneur ?

— Louise Chamberland, travailleuse sociale. Comme il m'est impossible de joindre votre frère Simon, j'ai pensé vous appeler. Le dossier de votre mère m'a récemment été confié. Y a-t-il des possibilités pour que je rencontre votre famille ? Tous vos frères et sœurs ?

— Je peux savoir à quel sujet ?

— Le médecin dit que l'état de votre mère est maintenant stabilisé. Les traitements de physio-thérapie ont été interrompus. Avec l'aide de la fa-mille, il faudra entrevoir les possibilités de placer votre mère. L'idée d'un retour à la maison est malheureusement hors de question. Votre père est âgé, sa santé laisse à désirer et votre mère requiert trop de soins. Comme vous avez pu le constater, madame Bernier est confinée au fauteuil roulant.

— Je sais, madame. Réunir toute la famille demande tout de même quelque temps, sans compter que tout le monde travaille le jour.

— Un rendez-vous en soirée serait préférable. Disons lundi soir le 16, à 20 h. Ça vous donne deux semaines. S'il y a un empêchement, je vous serais reconnaissante de m'aviser. Ça ira, monsieur Bernier ?

— Je ferai l'impossible, madame.

☐

Gabriel, abasourdi, s'assoit et expire longuement. Renversant la tête vers l'arrière, il allume une cigarette et ferme les yeux pour mieux réfléchir.

« Pauvre maman ! Pauvre papa ! Que vont-ils devenir ? Quelle sera la réaction de la famille ? Madame Chamberland n'a pas nommé papa, que je me souvienne. Cela veut dire qu'elle préfère nous consulter, seuls, auparavant. »

Désirant faire les choses comme il le faut, Gabriel décide de rendre visite, à tour de rôle, à tous ses frères et sœurs. Il pourra ainsi voir les réactions de chacun. Au téléphone, la voix ne rend pas toujours justice aux intentions. Gabriel invente donc un message qui sera le même pour tous.

Après une demi-heure de réflexion, il opte pour ce genre d'approche : « Madame Chamberland, la travailleuse sociale de l'hôpital, nous convoque tous sans exception. Son intention est de nous entretenir de l'état actuel de notre mère et des résultats obtenus en physiothérapie. Il est préférable que papa ignore cette rencontre pour le moment. Il sera toujours temps de nous entretenir avec lui, si nous le jugeons nécessaire. »

Gabriel effectue sa tournée. Personne ne soupçonne la catastrophe qui plane au-dessus de leur tête.

Tel que prévu, le 16 au soir, madame Chamberland est au rendez-vous.

Gabriel prend la parole.

— J'aimerais vous dire que nous sommes presque tous présents à l'exception de Solange et Marina qui demeurent en Californie. J'ai cru bon aussi de ne pas tenter de joindre Alexandre, qui est professeur à la base militaire de Lahr, en Allemagne.

— Je crois que vous êtes suffisamment représentatifs pour que nous tenions cette réunion. Je sais que votre temps est précieux et je vous remercie de votre intérêt pour le sort de madame Bernier.

L'attitude de madame Chamberland commence à semer quelques doutes dans les esprits. Elle semble hésiter avant d'entamer le sujet qui les concerne. On se racle nerveusement la gorge, espérant qu'elle aboutisse au plus tôt.

— Le docteur Gagnon m'a confié le dossier de votre mère. Je sais que votre maman est très choyée et entourée par vous tous. C'est d'ailleurs elle qui l'a confié en entrevue. Sept semaines se sont écoulées depuis le malheureux incident. Rien n'a été négligé afin de favoriser sa réadaptation. Considérant les efforts surhumains et la bonne volonté de madame Bernier, on a même accepté de rajouter quelques séances de physio, ce qui ne s'est pas révélé un grand succès. Nous sommes donc en mesure de vous dire que seul un miracle pourrait permettre à votre maman de marcher de nouveau.

Assommés par cette déclaration, plusieurs sentent alors leurs yeux s'emplir de larmes. Madame Chamberland dépose délicatement une boîte de papiers-mouchoirs au centre de la table. Tous sont estomaqués. Les comment et les pourquoi se succèdent.

« Maman invalide, c'est incroyable ! » « Qui aurait pu imaginer un tel sort ? » « Papa en mourra sûrement ! » « Alice n'acceptera jamais une telle humiliation. » « Pauvre maman ! » « Comment annoncer aux petits-enfants que grand-maman passera le reste de ses jours en fauteuil roulant ? »

Françoise demande alors timidement :

— Parlez-nous au moins de son bras et de sa main.

— Madame Bernier réussit plusieurs mouvements qu'on lui demande d'exécuter. Elle peut s'alimenter seule sans trop de dégâts. Avec un peu de difficulté, elle attache ses boutons. Cependant, elle ne peut se coiffer seule, puisque son bras supporte mal d'être élevé au-dessus des épaules.

— Papa qui n'a jamais vu maman décoiffée...

— Rassurez-vous, le personnel est là pour l'aider.

— Elle est si fière de son petit chignon blanc.

Prise de panique, Cécile, la célibataire de la famille très près de sa mère, éclate :

— Pauvre bobichonne ! Elle serait mieux morte. Faites-la mourir sinon elle deviendra folle. Je vous le jure. Faites-la mourir.

Françoise s'approche de sa sœur et tente de la consoler.

Usant de sa large expérience, madame Chamberland réussit à convaincre la famille que Philippe ne peut reprendre Alice chez lui. Plusieurs considérations entrent en ligne de compte. Il est préférable, sage et plus sécuritaire de trouver ensemble un endroit qui convienne mieux aux besoins d'Alice.

La travailleuse sociale jette un regard à sa montre.

— Je peux vous offrir du café ?

Aussitôt dit, aussitôt fait. Elle écarte un rideau derrière son bureau. Cafetière, sucre, lait, biscuits, tout est déjà là. Décidément, on a tout prévu.

Le café servi, madame Chamberland prononce enfin la phrase clé :

— Croyez-vous que votre maman pourrait habiter chez l'un d'entre vous ?

Une douche froide les aurait moins saisis. Sentant très bien le malaise qui s'installe, elle s'excuse et prétexte une absence d'une dizaine de minutes.

— J'ai deux appels importants que je n'ai pu retourner. Vous voulez m'excuser ?

— Bien sûr, s'exclame Gabriel.

La grenade est lancée. La guerre commence. Il fallait s'y attendre. Une parfaite cacophonie s'ensuit. Chacun suggère qu'Alice aille demeurer chez l'un ou chez l'autre, tout en prenant bien garde de se proposer. À l'attaque, chacun se trouve une raison qui l'empêche d'accueillir Alice chez lui.

Françoise a un logis trop étroit. Alice ne pourrait y avoir sa propre chambre.

Cécile, la célibataire endurcie, vient à peine de se sortir de sa troisième dépression nerveuse. Simon, lui, habite à Saint-Michel-des-Saints. Pour la première fois, il avoue demeurer au bout du monde. En cas d'urgence, l'hôpital le plus près est à Joliette. Inutile d'y penser. Gabriel possède la maison idéale. Seule ombre au tableau, il est professeur de musique et c'est au sous-sol qu'il reçoit ses élèves. Alice ne pourrait supporter ce tintamarre. Élyse possède une garderie à domicile. Charlotte est atteinte de sclérose en plaques et s'en tire tant bien que mal. Marie-Paule a converti son sous-sol en local où elle fait l'élevage de chats de race. Quelle odeur ! Maman s'y empoisonnerait en moins d'une heure. Estelle et son mari sont des marginaux qui vivent dans une commune.

La demeure de Sarah, qui compte huit pièces, est tout indiquée. Avocate de profession, Sarah vit très à l'aise en banlieue. Cependant, elle est témoin de Jéhovah. Elle voit mal sa mère vivre dans une maison où il n'y a ni crucifix ni rameau... Sarah ne fête pas Noël. Quel désastre ! Alice s'est toujours fait un plaisir fou de posséder le plus gros arbre de Noël. Sans compter les nombreux personnages qui entourent sa crèche. Son petit Jésus de cire possède une garde-robe digne des plus grandes collections.

Françoise s'étire le bras pour prendre le dernier kleenex. Quelle soirée !

Madame Chamberland revient. Ses yeux noisette font un tour de table. Personne ne se montre capable d'expliquer la situation. Gabriel se sent responsable, ayant convoqué cette rencontre. Nerveux, il chiffonne des doigts un petit bout de papier d'aluminium qu'il retire de son paquet de cigarettes. Il réussit enfin à résumer la situation familiale.

En écoutant Gabriel, madame Chamberland acquiesce sans cesse d'un hochement de tête. Tous sont surpris de constater sa grande compréhension. Prenant la parole d'une voix à peine audible, elle déclare :

– Le contexte social et familial a bien changé, ces dernières années. Votre famille ne fait pas exception à la règle. Le coût de la vie augmente sans cesse et les salaires sont insuffisants, ce qui fait que la femme est sur le marché du travail. Considérant ce contexte, les familles se voient dans l'obligation de placer leurs parents. Vous n'avez surtout aucune raison de vous sentir coupables. Je me dois donc de vous avertir qu'en de telles circonstances, il faudra trouver un centre d'accueil approprié pour madame Bernier. D'ici ce temps, votre mère sera transférée au service des soins prolongés. Ce dernier n'accepte que les personnes âgées ou handicapées en attente de placement. Je verrai à vous contacter de nouveau, afin de vous donner la chance de visiter le centre d'accueil avant que votre mère y soit acceptée.

— Pouvez-vous nous expliquer un peu comment se fera le choix ? demande Gabriel.

— Nous devons tout d'abord faire une évaluation du nombre d'heures de soins selon certains critères. Votre maman ne peut voir à son hygiène corporelle seule. Sa toilette au lavabo pourra nécessiter 10 minutes. Si l'on parle d'un bain à la baignoire, on pourra compter de 15 à 20 minutes. Votre mère peut s'alimenter, mais a besoin d'aide pour préparer son plateau. On comptera encore le temps nécessaire. Vous comprenez ? À cela, je dois ajouter que certains centres d'accueil sont catégorisés. Quelques-uns n'acceptent que les patients nécessitant de deux à trois heures de soins. D'autres acceptent les cas légers d'une à deux heures de soins. Selon le classement, à la suite de son évaluation, nous vous suggérerons les endroits en mesure non seulement d'accepter votre maman mais encore de lui procurer tous les soins appropriés à sa condition. Bien sûr, nous tentons aussi de localiser les patients dans leur région, afin d'éviter de les traumatiser davantage. Les déménagements sont toujours source d'angoisse pour les aînés. Il serait préférable, au vu de la condition de votre papa, que l'on trouve un centre dans le nord de la ville. Il serait plus facile pour lui de rendre visite à son épouse. Je communique avec vous dès que l'on sera fixé.

Les salutations faites, chacun se retire de son côté. Personne n'a le cœur aux réjouissances.

Simon s'engage à rendre visite à Philippe avant que sa mère ne soit transférée de service. Il a tout de même le droit de savoir ce qui se passe. Françoise et Cécile prendront leur courage à deux mains et s'entretiendront prochainement avec Alice.

Chapitre 4

Depuis trois jours, Alice et Philippe sont au courant de leur situation ; ils sont inconsolables. Philippe est même révolté. Jamais il n'acceptera d'être séparé à tout jamais de sa « p'tite tête d'ange ». Il se rappelle l'avoir épousée pour le meilleur et pour le pire. Seuls les médicaments réussissent à le faire dormir quelques heures. De son côté, Alice se sent humiliée et dévalorisée aux yeux de Philippe. La voilà maintenant « bonne à rien », comme elle se plaît à le répéter à qui veut l'entendre. Sans cesse, elle se soucie de son « bel amant » : Comment se débrouille-t-il sans elle ? Lui pardonnera-t-il de l'abandonner ?

☐

Quinze heures. Son infirmière préférée pénètre dans la chambre.

— Madame Bernier, je viens vous chercher pour vous conduire au service de soins prolongés.

Alice est muette. Son cœur bat à tout rompre et ses yeux s'embrouillent. Elle est installée dans son fauteuil roulant, on dépose sur ses genoux un sac de plastique contenant sa lingerie et ses effets personnels. Sur une petite table roulante, on dispose ses fleurs, ses cartes de vœux, son dossier, ses contenants de pilules. Émue, elle fait ses adieux au personnel, auquel elle s'est attachée, le remerciant de tous les bons soins prodigués.

— Vous allez vous habituer, madame Bernier, vous verrez. Dans quelques jours, vous aurez déjà de nouvelles amies. On organise plein d'activités. Le temps passe vite. Bonne chance !

La porte de l'ascenseur s'ouvre et se referme. Alice voudrait crier au secours jusqu'à ce que Philippe l'entende.

— Bonjour, madame Bernier. On vous souhaite la bienvenue au quatrième étage.

Bouche bée, Alice ne peut répondre.

— Je vous amène une petite grand-maman ben l'fun, qui sonne jamais, explique l'infirmière à ses collègues. C'est bien rare qu'elle nous demande quelque chose. J'ai ici son dossier et ses médicaments. Il faut que je retourne dans mon service maintenant. Je vais penser à vous. Bonne chance, madame Bernier.

Alice reste seule au poste. Quelques minutes s'écoulent. Un préposé se présente.

– Je m'appelle Jean-Pierre. Je vais vous conduire à votre nouvelle chambre. C'est le numéro 401, tout au bout du corridor.

Ce disant, ils s'acheminent déjà. De chaque côté du corridor, des fauteuils alignés les uns à côté des autres. Des « vieux » qui attendent la mort ou un placement. Ça rit, ça pleure, ça prie, ça parle à n'y rien comprendre. Alice n'en croit pas ses yeux.

– On est rendus. Regardez comme vous avez une belle grande chambre !

Alice pénètre dans une chambre à quatre lits.

– Quand on aura une chambre à deux lits, on vous transférera. Vous pouvez vous louer un téléviseur. On interdit les télévisions personnelles, parce qu'on n'a pas assez de place dans les chambres à quatre. Votre lit est ici. Juste à côté de la fenêtre, ça ira ? Votre garde-robe est la « D ». La sonnette d'urgence est ici, juste à côté de votre tête de lit. Le lavabo est derrière la porte de la salle de bains. Ici, c'est les toilettes ; elles communiquent avec l'autre chambre.

La visite des lieux expédiée, le préposé place les effets personnels d'Alice dans sa garde-robe et dans son tiroir de table de chevet.

– Je vous présente maintenant vos trois compagnes de chambre.

Faisant pivoter le fauteuil devant chacune d'elle :

– Madame Bernier, je vous présente madame Grégoire.

Alice s'efforce d'être affable, espérant qu'on l'aime autant que dans l'autre service.

– Bonjour, madame Grégoire.

Aucune réponse… La visite continue.

– Je vous présente madame Cantin. Ici, tout le monde l'appelle Fleurette.

Ne sachant quel nom elle préfère, elle hésite un moment.

– Bonjour, madame Cantin.

– Rentre pas dans ma cour, toé, réplique Fleurette, renfrognée.

– Ne vous en faites pas, madame Bernier. Demain, elle sera de bonne humeur. Et voici madame Latour.

Avant même qu'Alice ait le temps de prononcer un mot, madame Latour lui adresse un « très large » sourire et ajoute un bonjour qui traîne à n'en plus finir.

– Allôôôôôôôôô !

Alice, surprise, la salue en baissant la tête.

– Je vais maintenant vous installer dans votre lit. Le souper ne tardera pas.

– J'ai jamais soupé dans mon lit, monsieur.

– Ici, c'est le règlement. Tout le monde soupe au lit. Ça fait assez longtemps que vous êtes dans votre chaise. Ça va vous faire du bien de changer de place.

En un tournemain, Alice se retrouve assise, bien calée contre ses oreillers, et le préposé a déjà disparu. Lentement, ses yeux examinent de plus près tous les détails de son nouveau « home ». Juste à ses côtés, une large fenêtre. De vieilles maisons et une corde à linge bien remplie lui cachent le soleil. Les rideaux suspendus de chaque côté de la fenêtre ballottent au vent. Une petite brise caresse sa figure. Quel bienfait ! La porte de la salle de bains est ouverte et Alice constate qu'il n'y a pas de baignoire, mais juste des toilettes. On a installé un lavabo dans la chambre. Un large rideau, tombant du plafond, vient s'attacher au mur par une petite chaîne de métal. « On a au moins pensé à préserver notre pudeur », pense-t-elle. Sur les tables de chevet, aucune fleur, aucune carte de vœux. Alice se sent mal à l'aise. Seul son meuble est chargé de fleurs et de cartes de prompt rétablissement. « Serait-ce qu'après quelque temps dans ce service, on nous oublie ? »

Un ronflement vient interrompre sa réflexion. Ses deux voisines d'en face se sont endormies et madame Latour, qu'elle n'ose trop regarder, la fixe toujours avec son grand sourire à faire peur. Pauvres vieilles ! La crainte envahit peu à peu Alice. « Que vais-je devenir ici ? »

Pour la première fois de sa vie, l'avenir lui fait peur. Alice a eu une enfance heureuse et 50 ans de bonheur au bras de Philippe. Pourquoi faut-il qu'à 75 ans, on se sente ainsi bousculée ? Un bruit sourd s'approche. C'est celui du chariot de nourriture. Un jeune garçon entre dans la chambre en s'exclamant à tue-tête :

– Le souper !

Ravie, elle abandonne ses craintes pour dévorer son repas. Son estomac gargouille déjà depuis longtemps. L'émotion de son transfert éventuel avait accentué son manque d'appétit au dîner. Seule une soupe aux légumes avait constitué son repas.

Pendant ce temps, on fait manger madame Grégoire. Pas une parole. Pas un mot. Alice hésite, puis se décide :

– Je crois que madame Grégoire ne m'aime pas. Elle a refusé de me dire bonjour quand je suis arrivée.

– Elle est paralysée du côté droit, alors elle est incapable de parler. Je vous assure qu'elle vous aime.

Alice réfléchit en silence. « Merci, mon Dieu de m'avoir conservé la parole. » Puis, elle mange presque avec gloutonnerie, jetant un coup d'œil à ses voisines. Fleurette s'étouffe ; le préposé se précipite pour l'aider.

– Voyons donc, Fleurette, ouvre ta bouche !

Fleurette recrache le papier de son petit carré de beurre.

– C'est du papier, ça. Ça se mange pas ! crie le préposé.

– Peut-être qu'elle n'a pas une bonne vue ? avance Alice.

– Mais non, madame Bernier, sa vue est parfaite, c'est la maladie d'Alzheimer.

– Et quelle maladie a madame Cantin ?

– Elle est sénile. Ça vient avec l'âge.

« Mon Dieu, épargnez-moi. Philippe ne le prendrait pas. Mais j'y pense, épargnez aussi Philippe. »

Alice se redresse difficilement et réussit à rejoindre son chapelet sous son oreiller. « Au nom du Père et du Fils... », puis elle s'endort sur un Ave Maria.

□

– Bonsoir, maman ! Ça va ?

Alice sursaute, ouvre les yeux. Françoise, Simon et Gabriel sont là. Simon quitte la chambre quelques instants et revient avec le préposé qui accepte d'asseoir maman dans son fauteuil roulant.

– Vos enfants vont vous faire visiter le service.
Ça va vous faire du bien.

□

La famille ayant été prévenue du transfert,
tous se sont donné le mot afin qu'Alice soit entourée. Françoise a apporté du sucre à la crème,
Simon, un bouquet de marguerites et Gabriel,
lui, a acheté une jolie chemise de nuit en coton
fripé, de quoi lui faire oublier son triste sort.
Doucement, on promène la belle Alice en arpentant le corridor. Ce n'est guère plus gai. Plusieurs
chambres sont déjà dans la pénombre. À peine
cinq visiteurs sur tout l'étage. Aucune activité au
salon. Devant ce spectacle, personne ne trouve le
moyen d'être loquace. Alice a le cœur bien gros et
donnerait la lune pour retourner dans le premier
service. Mine de rien, elle examine les moindres
détails sur son passage.

– Pauvre maman !

C'est l'heure de la collation. Une jeune fille
s'approche avec un chariot.

– Un bon p'tit jus, madame Bernier ? J'ai du
jus de raisin, de pomme et d'orange.

– Un jus de pomme et deux petits biscuits, s'il
vous plaît.

– Je peux juste vous donner un jus. On n'a pas de biscuits. Ça fait un an qu'on n'en donne plus, à cause des restrictions budgétaires.

Est-ce possible ? Gabriel décoche un clin d'œil comme lui seul peut le faire. Alice a compris. Demain soir, elle aura une livre de biscuits que l'on cachera dans son tiroir.

– Attention ! Il est 20 h 30. Les visites sont terminées. Tous les visiteurs sont priés de bien vouloir se retirer. Merci !

Maman attrape la main de Simon et la serre bien fort.

– On doit maintenant te quitter. Les visites sont terminées.

☐

De retour dans la chambre, on échange de grosses bises. Alice fixe ses enfants l'un après l'autre, comme si elle craignait de les voir pour la dernière fois. De quoi leur arracher le cœur. Depuis son hospitalisation, jamais Alice n'a semblé aussi triste.

Sa chambre étant la dernière au bout du corridor, ce n'est que vers 21 h 30 que l'on arrive au 401 pour faire les installations. On emmène la « bobichonne » aux toilettes. De retour à côté de son lit, on lui enlève sa chemise de nuit fleurie et la remplace par celle de l'hôpital. Deux jeunes filles à l'uniforme brodé la soulèvent et la déposent dans son lit. Alice se tourne sur le côté. Avec une crème spéciale, on lui frictionne le dos, les fesses, les talons et les coudes, pour éviter qu'elle fasse des plaies de lit. Vient le temps de placer les oreillers. Le premier, sous la tête, le deuxième, plié en deux, lui soutiendra le dos et la maintiendra couchée sur le côté, tandis qu'on lui place le dernier entre les genoux. Les draps sont remontés, la lumière de chevet, éteinte.

– Bonne nuit, madame Bernier.

– Merci beaucoup, bonne nuit.

Mesdames Grégoire, Latour et Fleurette ont droit au même traitement. À peine 10 minutes et la « 401 » est plongée dans la noirceur. Seule une petite veilleuse se reflétant sur le plancher ciré guidera le personnel. C'est le silence plat dans tout le service. Quelques rares coups de klaxon parviennent des autos qui circulent dans les rues avoisinantes.

Alice tente en vain de réciter son chapelet. Aucune concentration possible. Elle se surprend soudain à s'imaginer assise sur la balançoire avec Philippe. Main dans la main, ils écoutent chanter les criquets. Seule la lune règne en chaperon. Alice rêve qu'elle appuie sa tête sur l'épaule de Philippe, mais c'est le visage enfoui dans son oreiller qu'elle chuchote en pleurant : « Philippe, mon amour, viens vite me chercher. Philippe, si tu savais comme tu me manques. »

Puis ses appels vont à tour de rôle à ses enfants : « Par pitié, venez me chercher, avant qu'il ne soit trop tard. Je ne prendrai pas beaucoup de place, je vous le jure. »

Alice sursaute. Fleurette commence à réclamer sa mère à tue-tête : « Maman ! Maman ! Où qu'a l'est, maman ? »

Craignant d'alimenter la conversation, Alice ne dit mot et feint le sommeil.

Dans le corridor, des pas rapides se dirigent vers la 401. Un uniforme blanc pénètre dans la chambre, s'empare du verre de styromousse de Fleurette, le remplit d'eau.

– Fleurette ! Fleurette ! Prends ta pilule, il faut dormir. Encore un peu d'eau. C'est ça.

On se retire. Les pas s'éloignent. Mais l'intervention a réussi à réveiller madame Latour qui se dresse dans son lit. Apercevant le visage d'Alice dans la sombre lueur du lampadaire de la rue, elle la salue : « Allôôôôôô ! »

Alice, épuisée, tremble de tous ses membres. Décidément, cette voisine lui fait peur à mourir.

Trois heures. C'est la tournée de nuit. Le règlement est sévère. Tous les patients, qu'ils dorment ou non, doivent être retournés. Inutile de dire que certains d'entre eux acceptent mal d'être dérangés dans leur sommeil.

Les robinets des chambres coulent à tour de rôle. On allume les lumières de la 401. Les trois voisines baignent dans leur pipi. C'est un changement complet. Draps, piqués, chemises de nuit, savonnage, friction avec la lotion habituelle.

L'infirmière s'approche du lit d'Alice.

– Qu'est ce que vous faites madame Bernier, vous ne dormez pas ?

– Comme si c'était possible de dormir dans un poulailler.

Les nerfs en boule, Alice se surprend d'avoir ainsi répliqué.

– Mon Dieu, que vous êtes agressive ! On va s'occuper de contacter votre médecin. Demain soir vous prendrez une pilule pour dormir.

– J'en ai jamais pris. J'ai horreur des pilules.

– Ici tout le monde en prend. Vous n'avez pas le choix.

La tournée est terminée. La 401 retombe dans l'obscurité. Alice a une boule dans la gorge. Vers 4 h, le sommeil la gagne enfin.

Six heures…

– Madame Bernier ! Madame Bernier ! Réveillez-vous.

Épuisée, Alice bredouille quelques mots en « chinois » et se rendort aussitôt.

– Levez vos fesses. Aidez-nous un peu.

– C'est donc bien froid !

La bassine est installée.

– Maintenant il faut faire pipi. C'est l'heure, vite.

– Vous êtes donc bien pressée.

– On n'a pas que vous, madame Bernier… Bon enfin, un beau petit pipi doré.

On remonte rapidement la tête de lit. Alice ouvre les yeux, surprise de se voir assise.

– Laissez-moi dormir.

Le personnel a déjà quitté la chambre. Ses trois voisines ont subi le même sort. Un coup d'œil à sa montre, 6 h 15. Quelques secondes s'écoulent, puis elle retourne dans les bras de Morphée.

– Bonjour, madame Bernier. On va vous remonter un peu, vous êtes presque rendue au pied du lit. Il est 8 h. C'est l'heure de déjeuner. Il faut manger.

De peine et de misère, ses yeux s'entrouvrent. Son plateau est préparé. Trois pruneaux, un petit bol à céréales ne contenant que le tiers de gruau, deux rôties froides et humides déjà beurrées, un petit carré de marmelade et un café.

– Bonjour, madame Bernier, ça va bien ce matin ? s'informe une jeune fille en préparant le plateau de madame Latour (la voisine à l'éternel allôôôôô qui terrorise Alice).

– Ça va.

– Ah, non ! juste avant le déjeuner.

Surprise par l'intonation, Alice échappe sa cuillère.

– Fleurette, pourquoi t'as pas sonné ?

La jeune fille saisit le téléphone de la chambre.

– Pourrais-tu m'envoyer une préposée à la 401, s'il te plaît ?

Alice tente de comprendre ce qui se passe et jette un regard discret. Elle ne voit rien. Fleurette a tout le visage taché de brun et ses mains qu'elles dirigent à sa bouche sont dans le même état. Quant à ses jambes, elle a réussi à les passer au-dessus des côtés du lit. Et sa chemise de nuit est enroulée autour de son cou. Fleurette tend soudainement les bras aux jeunes filles.

– Viens me voir maman… maman…

– Ne nous touche pas, Fleurette, t'es toute sale.

Les côtés du lit en ont eu pour leur rhume. Se ballottant les fesses en l'air, Fleurette se tourne et atteint le mur, y faisant des dessins bruns. Les préposées sont exaspérées et la maîtrisent avec difficulté. Une odeur nauséabonde remplit la chambre en quelques minutes. Alice repousse son plateau et la nausée l'envahit.

On s'empresse d'ouvrir les fenêtres. On ferme les rideaux qui entourent le lit. On demande une aide supplémentaire. Un jeune homme se présente avec un chariot rempli de lingerie propre. Ce dernier ne cesse de faire la navette entre le lavabo et Fleurette.

Alice grelotte et pleure. Jamais elle n'aurait pu penser qu'un être humain soit humilié de la sorte. Jamais non plus, elle ne s'était imaginée la possibilité de devenir comme un petit animal indompté. Pauvre Fleurette! Alice remonte ses draps à son cou, n'osant demander que l'on ferme la fenêtre. Le personnel est beaucoup trop occupé. Pour rien au monde elle ne voudrait passer pour une « malcommode ». Sans compter qu'à son admission dans le service, on a pris la peine d'ajouter à son « curriculum vitæ » qu'elle ne demandait rien.

Fleurette est maintenant propre et s'apprête à manger. Sans se soucier de quoi que ce soit.

– Vous mangez pas, madame Bernier?

– Non merci. J'ai pas faim.

La préposée saisit son plateau. Alice regarde s'éloigner son déjeuner tout en se gardant bien de dire que l'on ne peut manger dans une telle atmosphère.

Un jeune garçon pénètre dans la chambre.

– Bon, maintenant, madame Bernier, je vous assois dans votre chaise roulante et je vous emmène au lavabo pour faire votre toilette.

– J'aimerais mieux aller au bain.

– C'est impossible. Ici, les patients prennent leur bain à tour de rôle. Votre journée sera le jeudi.

À sa grande surprise, le préposé tire le rideau et s'isole avec elle. Alice, stupéfaite, rougit de la tête aux pieds. Jamais de sa vie, elle ne s'est montrée nue devant un homme, sauf bien entendu devant Philippe. Le préposé détache le cordon de sa chemise. Le cœur d'Alice bat rapidement. Elle imagine les réactions de Philippe. Il ne le prendrait pas. Se croisant les bras pour éviter que sa chemise tombe et découvre ses seins, elle proteste.

– Non, je ne veux pas que vous me laviez. Je peux le faire seule.

– C'est impossible, madame Bernier, vous le savez bien.

– Jamais je n'accepterai que ce soit un homme qui fasse ma toilette, crie-t-elle.

L'employé se retire et revient avec la chef du service.

– Qu'est-ce qui vous arrive, madame Bernier ? On n'est pas de bonne humeur ce matin ?

Le visage d'Alice s'empourpre.

– Comment ça, on n'est pas de bonne humeur ? J'ai le droit de refuser de me faire déshabiller par un homme, non ? Mon mari n'accepterait pas ça. Vous pouvez l'appeler si vous voulez.

« Bobichonne » respire rapidement, puis l'émotion est trop forte, elle pleure.

Ses yeux fixent l'infirmière en chef, l'implorant de la comprendre.

— Ça ne donne rien de pleurer. Vous n'avez pas le choix. Le personnel est restreint. Chacun a un nombre déterminé à faire. Homme ou femme, tout le monde est pareil ici. Il va falloir que vous entriez dans le moule.

— Appelez mon mari ou ma fille Françoise. Je suis certaine que quelqu'un va accepter de venir me laver.

— On n'est pas pour commencer à appeler toutes les familles. Jean-Pierre est habitué, et c'est lui qui va vous laver.

L'infirmière en chef quitte la chambre en tapant du talon.

— J'te dis qu'elle est pas facile la nouvelle. Va falloir qu'elle s'habitue.

Jamais de sa vie Alice n'aurait pensé qu'un jour un jeune homme à peine âgé de 20 ans la déshabillerait et ferait même sa « toilette intime ». Inconsolable, elle constate que lorsqu'on est vieux, il n'y a plus de place pour le respect de sa personne, encore moins de ses principes.

Les soins d'hygiène terminés, elle demande :

— N'oubliez pas de faire mon chignon, monsieur.

– Tout ce que je peux faire, c'est une queue de cheval. J'ai jamais appris à faire des coiffures de fantaisie. Tout ce qui compte ici, c'est que vous soyez propre.

– Je peux vous dire comment ma fille Françoise le fait ?

– J'ai pas le temps, madame Bernier. Le règlement dit que ça prend environ 10 minutes pour une toilette avec aide ou au lavabo. On a mis pas mal de temps à vous décider. Sans compter que j'ai encore cinq patients à laver dont deux à la baignoire.

Tout en s'expliquant, Jean-Pierre lui fait une queue de cheval. Alice porte la main à cette coiffure qu'elle trouve complètement démodée et surtout pas de mise pour une personne de son âge. Une fois de plus, elle est touchée dans son orgueil. Elle se souvient qu'à l'âge de cinq ans, sa mère lui entortillait les cheveux sur des guenilles. En ce temps-là aussi, elle détestait ces boudins en queue de rat, mais c'était la coutume et elle devait s'y conformer sans mot dire. Qu'en penserait Philippe, s'il fallait qu'il la surprenne avec cette coiffure ridicule ? Et s'il cessait de l'appeler sa « p'tite tête d'ange » ?

– Je vous emmène maintenant dans le corridor.

Se souvenant de sa première promenade, elle refuse carrément d'être alignée dans ce long corridor où tout le monde attend la mort.

— Je veux rester dans ma chambre !

— Ça va vous changer les idées. Vous allez vous faire des amis. C'est pas bon de rester dans sa chambre. Sans compter que c'est plus facile de faire la surveillance.

— Me surveiller ! Moi ? Pourquoi ?

Voyant qu'elle n'obtient pas de réponse, Alice se retourne dans son fauteuil roulant et constate que le préposé s'est enfui. Elle se retrouve donc, malgré elle, alignée dans ce long corridor à plafond haut. Une dizaine de grands-mères et de grands-pères s'y trouvent déjà. À quelques pas de son fauteuil, une voix claire retentit : « Non ! J'veux pas aller là ! J'veux rester dans ma maison. »

Alice reconnaît vite sa voisine, Fleurette, qui crie à tue-tête en tapant du pied. Personne ne semble porter attention à ce qu'elle demande. Une jeune fille place son fauteuil gériatrique en face d'Alice et pousse une tablette qui se verrouille pour empêcher que Fleurette se lève et qu'elle aille déranger tout le monde. Cela fait, la jeune fille se retire au pas de course et pénètre dans une autre chambre. De minute en minute, un nouveau patient vient allonger la file indienne des deux côtés du corridor. La cantate recommence. Ça crie, ça pleure, ça se plaint sans arrêt. Le plus jovial en perdrait le moral. Seul un gros monsieur, que l'on surnomme Charlot, sourit. L'atmosphère du service ne semble pas le préoccuper. Depuis déjà une dizaine de minutes, il chante : *Ah ! les fraises et les framboises.* « Lui, au moins, semble décidément très heureux », pense la « bobichonne ». Un patient sur 38, il n'y a vraiment pas de quoi le crier sur les toits.

« Comment réussir à me faire des amis ici ? Et dire que Jean-Pierre m'a installée ici pour me changer les idées ! »

— Bonjour, madame Bernier. Ça va ?

Avant même qu'elle ait le temps de répondre, Nathalie, son infirmière auxiliaire préférée, a déjà parcouru la moitié du corridor. C'est la course folle. Chaque jour, on jurerait que le feu est pris quelque part. Les portes de chambres s'ouvrent et se ferment sans arrêt. Même le préposé au ménage n'a pas le temps de passer dans les coins.

Dix heures. Nathalie revient sur ses pas. On dirait la « sœur volante ». Un grand sourire à madame Bernier :

— J'ai deux petites pilules pour vous.

Aussitôt dit, aussitôt fait ! Le fauteuil roulant virevolte et Alice se retrouve devant le lavabo de sa chambre. Nathalie lui présente un verre d'eau et, de l'autre main, les pilules en question.

— C'est pourquoi, ces pilules-là ?

— La petite blanche, c'est pour contrôler votre pression. La petite orange, pour éclaircir votre sang.

Alice avale la « potion magique ». Inutile de songer au dialogue, on a déjà placé le thermomètre sous sa langue et l'on ajuste le sphygmomanomètre à son bras pour lire sa tension artérielle.

– Est-ce que vos intestins ont fonctionné aujourd'hui ?

Le thermomètre toujours en place, Alice fait signe que oui.

– Pas de problèmes avec vos urines ?

Sa tête se balance de gauche à droite. On retire le thermomètre.

– Tout est normal, madame Bernier. Si j'ai deux minutes, je viendrai vous faire un beau chignon avant les visites. Ça va ?

« Attention ! Nathalie Côté, au poste, s'il vous plaît. Nathalie Côté. »

Et vlan ! Nathalie repart à belle allure. Alice est heureuse qu'elle n'ait pas eu le temps de la reconduire dans le corridor. Dirigeant avec difficulté son fauteuil roulant, elle s'approche de sa petite table, étire son bras et réussit à prendre son chapelet. Le temps de réciter une « petite dizaine » pour que l'on conserve son « petit » Philippe en santé. Depuis qu'elle est dans la 401, Alice a remarqué que l'on ajoute le qualificatif de « petit » à tout ce que l'on peut, sans oublier qu'ici, tout est « beau ». « Voici votre petit déjeuner : un beau petit gruau, une belle petite rôtie, deux belles petites pilules, un bon petit jus. » Ensuite, on fait « une belle petite promenade dans le corridor, une bonne petite sieste, un beau petit pipi doré, un petit caca, une petite indigestion ». On dit même « un beau petit grand-père », quelle que soit sa taille… Sans doute pour nous empêcher d'oublier que l'on retombe en enfance.

□

Le reste de la journée se passe sans trop de problème. Nathalie s'est hâtée de faire un beau chignon à la « p'tite tête d'ange », juste avant les visites. Malheureusement, Philippe ne peut venir la voir, étant cloué au lit par une vilaine grippe. Il ne néglige cependant pas de s'entretenir avec elle par téléphone, afin de la rassurer. La conversation dure une vingtaine de minutes et c'est, une fois de plus, le cœur bien gros qu'ils se quittent.

À peine le souper terminé, un jeune homme annonce à madame Bernier qu'il doit l'emmener à la soirée de bingo.

– J'ai toujours détesté ce jeu. Ça ne m'intéresse pas « pantoute ». Merci quand même, mais…

Sans lui laisser le temps de terminer ses explications, l'homme pousse le fauteuil roulant à l'extérieur de la chambre. Une fois dans le corridor, il lui lance :

– Je n'ai pas le choix, madame Bernier. On m'a donné l'ordre de vous y conduire. Ici, il faut que tout le monde apprenne à socialiser.

Alice proteste en vain. Voir le malheur de tous ces gens la déprime. En quelques minutes, elle se retrouve dans un petit salon où, déjà, plusieurs patients sont attablés. La bénévole place le boulier et distribue minutieusement une carte à chacun, ajoutant une poignée de jetons.

Alice n'a pas le cœur au « B-10 », pas plus qu'au « G-48 ». Monsieur Gagné demande de changer sa carte, prétextant qu'elle n'est pas chanceuse. La responsable des loisirs sourit et lui présente une autre carte, chuchotant à sa compagne bénévole :

– J'te dis qu'il est pas fou !

Et la soirée commence : « O-72… N-38… »

Fleurette est de la partie. On l'a assise dans un fauteuil gériatrique avec une tablette devant elle. Elle vient de jeter toutes ses « pitounes » de plastique par terre. Un préposé se penche pour les ramasser.

– Attention, Fleurette, tu retardes tout l'monde, là.

– B-4…

Et ça continue. Chaque fois que la dame annonce un numéro, ce même monsieur le répète à tue-tête : « B-12, B-12 ! »

« C'est à croire qu'on est tous sourds parce qu'on est vieux », songe Alice. La carte de la voisine confuse est surveillée de près par le préposé qui s'acquitte de sa tâche d'une façon professionnelle, si bien que 10 minutes plus tard :

– BINGO ! Fleurette, t'as gagné ! Regarde sur la table. Quel prix veux-tu ?

Avant même qu'elle réponde, ou du moins qu'elle tente de répondre, le préposé décide :

– J'vais lui prendre une boîte de kleenex ; sa famille ne lui en apporte jamais.

La « bobichonne » a la gorge serrée… « Pauvre femme ! » pense-t-elle. Elle jette un coup d'œil sur la table. Jamais elle n'aurait pensé que ces objets qui traînent là puissent être des cadeaux. Silencieuse, elle observe : un petit peigne à queue bleue, une brosse à dents trop petite pour laver des dentiers, un savon toujours en vente dans les épiceries connues, une petite trousse de couture, à croire que les patients reprisent, une deuxième boîte de kleenex, un échantillon d'Avon qu'une bénévole a déniché quelque part, un sachet de pastilles pour faire tremper les dentiers et, tout au fond, une boîte de chocolats à la menthe.

Alice se sent ridicule devant cet étalage et espère pour la première fois que personne ne viendra lui rendre visite ce soir, ou du moins pendant la partie. Ils croiraient qu'elle est devenue sénile. Sans doute aurait-elle préféré qu'on y présente du papier à lettres, des stylos, des sachets de sent-bon pour parfumer les chambres ou des « petits » cadres pour décorer le coin du lit, même si c'est défendu de faire des trous dans les murs. Aucun livre, non plus, à croire que les vieux sont tous aveugles et sans culture. Un petit tablier brodé aurait aussi été apprécié et serait moins humiliant que ces bavettes de papier vert qu'on attache trop serré au cou, prétextant que les cordons ne sont pas plus longs qu'il faut.

« G-48, G-48... »

Alice hésite. Elle préfère laisser sa chance aux autres. D'une voix à peine audible et sans vouloir vraiment être entendue, elle dit enfin :

— Bingo !

— C'est ça, bravo ! Une autre gagnante ! Bravo ! madame Bernier ! s'exclame le préposé. Qu'est-ce que vous choisissez ?

Ses joues se colorent telle une tomate.

— Je vais prendre la boîte de chocolats à la menthe s'il vous plaît.

— Ah ! Ah ! C'est là qu'on découvre les gourmandes ! ajoute le préposé à tue-tête.

On fait glisser la boîte de chocolats jusqu'à la gagnante. Alice rougit de plus en plus, saisit son prix et s'empresse de le déposer sur ses genoux.

Le jeu continue, le temps s'éternise.

— Ah, non ! Ça, ça m'écœure ! Qu'est-ce que vous avez fait là ?

Tout le monde est paralysé. Le préposé est furieux. Fleurette, la malheureuse, vient de faire un «beau petit pipi doré» dans sa chaise et les chaussettes du préposé se retrouvent toutes mouillées. Les yeux se tournent vers la pauvre qui ajoute : « Maman va chicaner… Maman fâchée ? »

On la reconduit à sa chambre en criant dans le corridor :

— Apporte-moi au moins deux débarbouillettes, une chemise propre et une couche.

Quelle humiliation !

— J'oubliais, apporte-moi aussi une contrainte. On l'attache toujours, elle, si on ne veut pas qu'elle se ramasse à terre.

Alice ferme les yeux un moment et tout bas, dans son cœur, elle supplie Philippe : « Viens me chercher, s'il te plaît. Viens vite avant qu'il ne soit trop tard. »

La préposée aux loisirs arrête le boulier. Le bingo est enfin terminé. La bénévole souhaite une bonne fin de soirée à tout le monde.

— Ça été bien l'fun, hein ? Mardi soir prochain, on vous attendra de nouveau avec des beaux petits prix comme ceux de ce soir. Attendez chacun votre tour pour retourner dans votre chambre.

Alice se fait docile. Lentement, elle fait pivoter son fauteuil et se dirige vers sa chambre. On l'installe déjà au fauteuil d'aisance et envie, pas envie, il faut faire pipi avant d'aller au lit. Heureusement, dame Nature est généreuse et lui facilite la tâche. Un « beau gros pipi doré » d'environ 300 ml. On change la chemise de nuit pour celle de l'hôpital, qui lui laisse le dos à l'air, et... hop ! dans le lit.

– C'est l'fun de coucher « ça ». C'est comme un p'tit poulet. Y devraient tous être comme ça !

Alice demande qu'on place ses chocolats dans son tiroir. Ça pourra toujours faire l'affaire jusqu'à ce que Philippe lui rapporte des Laura Secord.

– Mangez-en pas trop. C'est pas bon pour votre santé.

– Comme si à 75 ans, on avait encore 20 ans à vivre. La santé !... La santé !... Je m'en fous de ma santé. J'aimerais mieux mourir tout de suite. Je reste en vie juste pour pas faire de peine à mon Philippe qui deviendrait fou si je partais. En tout cas, c'est ce qu'il me disait encore la semaine passée. Pourquoi faire tirer du chocolat si c'est pas bon pour la santé ?

Personne n'ose répliquer à ce cri de détresse. La tournée des voisines se fait comme d'habitude. On retire le chapelet de madame Côté.

– C'est dangereux, un chapelet autour du cou. Une bonne fois, vous allez vous étouffer, si on ne vous l'enlève pas. La dame proteste, mais le chapelet est déjà dans le tiroir. Les lumières s'éteignent. La lueur de la veilleuse apparaît de nouveau sur le plancher ciré. Alice se doit maintenant de faire tous les efforts possibles pour ne pas fermer l'œil. C'est trop déplaisant de se faire réveiller à 22 h 30 pour prendre sa petite pilule pour dormir. Ici, dort, dort pas, il faut prendre sa pilule. Madame Côté se met à réciter des *Ave Maria* tout mélangés et en latin, s'il vous plaît, cherchant désespérément à atteindre son chapelet.

— Madame Bernier, réveillez-vous. Faut prendre votre pilule pour dormir.

— Ah non ! Moi qui m'étais promis de ne pas m'endormir.

On lui présente un verre d'eau et une pilule. Alice heurte le verre maladroitement et le renverse sur son couvre-lit qu'on a changé le matin même.

— Voyons ! Attendez une minute. Je vous donne un autre verre. Bon, faites attention là ! Renversez pas celui-là aussi !

Alice s'applique de son mieux. Ouf ! Elle réussit ! On touche son couvre-lit. Il est mouillé.

— C'est pas grave, c'est juste de l'eau. Ça va sécher. Faut qu'on ménage la literie. On est en période de restrictions budgétaires. Bonne nuit, madame Bernier !

On ferme la porte de la chambre. Le silence est lourd. La « bobichonne » jette un coup d'œil dehors. L'air s'est réchauffé. La lune est toute ronde. Une brise tiède vient soudain lui caresser le visage. Alice est émue et constate combien elle manque d'affection.

Ajustant son chignon et sa tête sur l'oreiller, elle se souvient : la brise tiède et humide sur son cou lui rappelle le souffle de Philippe lorsqu'il prenait plaisir à lui bécoter le cou. Alice crierait son désespoir, mais elle n'ose pas. De toute façon, personne ne l'écouterait. L'affection et les caresses de son « bel amant » lui manquent de plus en plus. Une brise tiède la caresse de nouveau.

« Vent ! Vent ! Caresse-moi ! S'il te plaît, ne t'arrête jamais. C'est tout comme si je recevais un peu d'affection. Dans ces services pour vieux, les sentiments n'ont pas de place. » Les yeux fermés, Alice descend ses draps délicatement. Elle s'imagine mille choses en recevant cette douce brise qui s'amuse à lui caresser les seins. Alice pleure en réfléchissant : « Jamais… Plus jamais… Ah ! Philippe, si tu savais comme c'est difficile de vieillir. Je me sens mourir un peu chaque jour. J'ai tant besoin de toi. Je sais que de ton côté les choses doivent aussi être très difficiles. Philippe, dis-moi ce qui nous arrive… Dis-moi ce que l'on va devenir… »

Un torrent de larmes mouille de nouveau sa taie d'oreiller, puis elle s'endort.

Chapitre 5

Trois mois se sont écoulés depuis le transfert d'Alice aux soins prolongés. À tour de rôle, les enfants se font un devoir de visiter Philippe. Françoise s'est chargée d'entretenir le linge de sa mère. Quant à Philippe, il a carrément refusé toute aide, prétextant qu'il est encore capable de s'occuper de ses affaires. De son côté, Cécile s'acharne à lui faire la meilleure popote possible. Elle la lui apporte deux fois par semaine, lui évitant ainsi la corvée des emplettes.

Depuis sa vilaine grippe, on a peine à le reconnaître. Ses traits tirés, ses yeux ternes et sa démarche voûtée commencent à inquiéter ses enfants. La semaine dernière, il confiait à Simon qu'il avait passé une nuit blanche. Couché sur le tapis du hall d'entrée, la tête tout près du téléphone, il attendait un appel. Une sorte de pressentiment qu'Alice avait besoin de lui. De cette façon, il était certain d'entendre sonner. Jamais il ne se pardonnerait de ne pas avoir été présent pour veiller à ses besoins.

□

Dans l'île de la Visitation, c'est la nuit. La balançoire va et vient. Seuls les craquements qu'elle ne peut retenir font deviner son âge. La rivière clapote en déformant la lune. Criquets, grillons sont au rendez-vous, tentant de distraire Philippe qui se berce en silence.

Ce dernier s'est bien gardé de révéler à sa « p'tite tête d'ange » que depuis son départ il ne réussit à dormir qu'avec des pilules. À son insu, « madame Nostalgie » s'est installée. Plus rien n'est pareil. La solitude est devenue son ennemie et il rêve du jour où elle sortira de son lit.

La balançoire s'arrête. Une ombre mince et voûtée se déplace. La porte à moustiquaire bat doucement.

Dans le cœur de Philippe, c'est aussi la nuit. Ce soir, il a mal, si mal que les somnifères tardent à produire leur effet. Impatient, il quitte son lit, ouvre la garde-robe et s'empare d'une chemise de nuit de soie rose garnie de dentelle écrue, sa préférée. Debout à côté du lit, il l'étend avec beaucoup de soin. L'encolure de dentelle est placée juste au bas de l'oreiller, tandis que les épaules sont bien droites de chaque côté. Philippe ceinture un peu la taille, comme le faisait sa « bobichonne » et replie les manches jusqu'à la taille. Alice joignait toujours les mains en se couchant, le temps de dire une prière.

Minutieusement, il passe et repasse ses mains froides sur le tissu pour effacer les plis. Le clair de lune lui facilitant les choses, il admire douloureusement cette fine lingerie à travers laquelle il imagine la fine silhouette d'Alice.

Sur la pointe des pieds, comme pour ne pas la réveiller, Philippe contourne le lit, se glisse sous les draps qu'il remonte jusqu'à l'encolure de peur qu'elle ne prenne froid. Tendrement, sa tête s'appuie sur l'oreiller d'Alice. Allongé sur le dos, il s'applique à respirer profondément la fraîcheur délicate du parfum encore imprégné dans la chemise de soie. Philippe se tourne, étend son bras autour de la taille comme pour mieux l'enchaîner et la garder avec lui. Rien ne bouge, elle s'est sans doute endormie. Remontant sa main sous les draps, il caresse délicatement les dentelles, espérant le moment où il sentira une petite main tiède se poser sur la sienne. « Je suis là avec toi, mon bel amant. Jamais plus on ne nous séparera. » Philippe ne peut contenir sa peine. S'emparant brusquement de l'oreiller, il l'embrasse sans arrêt, criant sa détresse et son désespoir. «Pourquoi Alice? Pourquoi? Je t'aime. Reviens mettre de l'arc-en-ciel dans mes nuits. Il fait si sombre. Tout a changé. Plus rien n'est pareil. Reviens vite. L'île est si grise sans toi. Alice, je te sens si malheureuse. J'ai peur! "Bobichonne", veux tu m'aider juste un peu? Je t'aime tant, il va falloir faire vite, je suis si épuisé. Alice, mon amour.»

Toc, toc, toc. Philippe sursaute, ouvre les yeux. On frappe à la porte.

– Papa! Papa! C'est moi, Cécile. Es-tu là?

– Est-ce qu'il y a le feu? Tu parles d'une heure pour venir réveiller son père.

– Il est 10 h, papa. Ouvre-moi.

Philippe sort du lit et se précipite sur la chemise qu'il cache sous l'oreiller. On croirait sans doute qu'il est devenu fou.

– Entre, Cécile. Tu veux un café?

– Cécile ne refuse jamais un bon café, tu le sais bien.

Pendant qu'il s'affaire autour du poêle, Cécile le détaille de la tête aux pieds. Sa chemise blanche et son pantalon sont froissés. Pauvre papa, il n'a sans doute pas eu la force de se dévêtir avant de se mettre au lit. Papa si orgueilleux, si fier... Comme il vieillit rapidement. C'est incroyable.

Un bon arôme de café embaume la cuisine.

– Je t'ai apporté des bonnes galettes à la mélasse.

– Merci ma Cécile, je n'ai pas faim. Apporte-les à ta mère.

– Papa, tu sais bien que je fais toujours des doubles portions.

– Excuse-moi, je dors debout.

– Parle-moi de toi maintenant.

Surpris par une attaque aussi directe, Philippe baisse la tête. Ses prunelles s'embrument.

Cécile incline la tête pour tenter d'attraper son regard.

– C'est que depuis quelque temps, tu nous inquiètes beaucoup. Qu'est-ce qui ne va pas papa ?

– Tu tiens absolument à le savoir ?

Acquiesçant d'un signe de la tête, Cécile met la main de son père dans la sienne, les joignant fortement.

– Je t'écoute papa.

La voix lézardée, Philippe se vide le cœur.

– Eh bien, c'est cette maudite société toute croche et mal organisée. C'est aussi cette religion qui dit qu'on se marie pour le meilleur et pour le pire. J'ai vécu 50 années de bonheur avec ta mère. Ensemble, on a construit un merveilleux nid d'amour où sont nés 13 petits oisillons. De l'aurore au crépuscule, les heures de labeur n'ont jamais été comptées, ce qui fait que notre petite terre a toujours suffi aux besoins de la famille.

Philippe s'arrête. Ses mains froides tremblent. Son visage humide est méconnaissable.

– Je t'en prie papa, continue.

– Un jour la « reine » du nid a connu la maladie. Aussitôt, on s'est emparé d'elle. C'est au son d'un « pimpon, pimpon » qu'on s'est empressé de la retirer de son nid et de l'éloigner des siens. Comment comprendre cette société inconsciente, qui sépare les couples âgés, au moment de l'apogée ? Comment la comprendre, quand au même moment elle se scandalise devant les divorces et l'effritement des familles ? Comment accepter une telle incohérence, lorsqu'on s'amuse à séparer les couples âgés qui ne demandent qu'à finir leurs jours ensemble ? Tout ça sans s'interroger pour savoir si on ne les tue pas quand on les place « en sécurité » comme on se plaît à le dire. Je suis fatigué, Cécile. Je n'ai plus la force de me battre. Prendre soin d'Alice m'aurait sûrement moins fatigué. Je n'en peux plus de la voir malheureuse. Ta mère aussi a bien changé. Je sais qu'elle me cache beaucoup de choses. Lorsque je m'arrête à fixer ses yeux tristes qui m'interrogent sans cesse, un sentiment de culpabilité que j'ai peine à repousser s'empare de moi. Lui ai-je toujours apporté cette présence et cet appui dont elle avait besoin ?

Les petites attentions, l'affection et l'amour ont-ils toujours réussi à trouver place dans le quotidien ? Jamais je n'ai osé lui poser la question de peur de me culpabiliser davantage. Récemment, j'ai fait un cauchemar qui m'a profondément marqué. Il se terminait ainsi : une forme blanche au contour mal défini, tel un fantôme, proclamait d'une voix caverneuse : « Si la reine se retire un jour du nid, c'est que le nid n'a pas su être assez douillet. Le départ de la reine est toujours présage de malheur. » Je me suis réveillé en larmes. Combien j'aurais voulu qu'elle soit là pour lui crier mon amour et la rassurer dans mes bras qui l'ont si souvent bercée. Maudit que c'est difficile de vieillir. Comme c'est triste de voir que la société refuse de juger la violence psychologique et physique que subissent les personnes âgées. Cécile, ma petite fille, ton père a la nostalgie. J'ai beau la repousser du soir au matin, toujours elle me guette, toujours elle hante mes nuits. J'en peux plus. Je suis si fatigué. Les nuits sont trop longues sans sa présence. Jour après jour, je m'imagine entendre un bruissement d'ailes m'annonçant son retour. La société a gagné. Elle s'est enfuie avec le bonheur qui nous était dû.

Chapitre 6

Alice s'est réveillée tôt ce matin. Impatiente, elle attend le moment de son bain hebdomadaire. Déjà installée dans son fauteuil roulant, elle a placé sur ses genoux tout le matériel nécessaire : serviette, débarbouillette, savonnette Nina Ricci offerte par Gabriel, poudre pour bébés, déodorant, brosse à cheveux, shampooing, sous-vêtements, et un peignoir qu'elle étrennera aujourd'hui.

– Bonjour, madame Bernier, ça va ?

– Ah, bonjour, Nathalie. Comme je suis heureuse que tu travailles aujourd'hui.

– Je viens vous chercher pour vous amener à la baignoire.

Nathalie roule le fauteuil à côté de la salle de bains.

– Restez ici pour ne pas perdre votre place. Vous êtes la quatrième. Je vais revenir quand ce sera votre tour.

– Je ne bouge pas. Merci Nathalie.

Alice jette un coup d'œil aux trois patients qui la précèdent. Juste à côté d'elle, madame Tremblay. Une grande dame aux cheveux argent, dont la maigreur exagérée laisse deviner ses vertèbres à travers sa chemise. C'est la patiente confuse et joyeuse qui « placote » sans arrêt, souriant à tous ceux qui passent avec des « bonjour monsieur, bonjour madame » à profusion. Sur ses genoux, aucun article de toilette. Une chemise d'hôpital, une serviette, une débarbouillette, un mini-savon de l'hôpital du même format que celui que l'on trouve dans les hôtels et une paire de pantoufles en papier bleu qui viendront remplacer celles qui sont déjà imbibées d'urine.

– C'est pas chaud, hein, madame ?

Alice hésite un peu et se sent obligée de la réconforter.

– Ça va se réchauffer bientôt. Ne vous en faites pas.

Satisfaite, elle lui adresse un sourire en guise de reconnaissance. Pauvre madame Tremblay ! Elle n'a même pas une robe de chambre. Pas surprenant que la chair de poule hérisse ses bras.

La deuxième voisine, une grosse dame d'environ 200 lb, dort calmement en ronflant son bonheur.

Le premier de la file est un homme qu'elle semble reconnaître... Attardant son regard, elle se souvient tout à coup.

« Non ! C'est pas possible. C'est Charlot, celui qui chantait *Ah! les fraises et les framboises.* »

Il y a quelques jours, Alice s'était informée à son sujet, puisqu'elle ne l'entendait plus chanter. On lui avait répondu qu'elle aurait la paix et qu'il avait fini de déranger tout le monde.

« Pauvre homme, lui qui souriait tout le temps. Son visage est maintenant gris. Ses yeux s'ouvrent à peine. On dirait un homme ivre. Plus jamais il ne chantera. »

Le service a décidé de couper le sifflet à notre rossignol. La médication avait fini par agir.

Soupirant de désespoir, elle s'interroge. Combien de semaines ou de mois s'écouleront encore avant que l'on puisse lui dénicher un centre d'accueil qui répondra à ses besoins...

Nathalie passe dans le corridor en soutenant un patient.

— Ce ne sera pas long, madame Bernier. Je ne vous oublie pas. Vous êtes maintenant la deuxième.

Un préposé avance le fauteuil de madame Tremblay.

– On va prendre un bon bain. Ça va vous faire du bien.

Le préposé ouvre la porte de la salle de bains. En voyant la baignoire remplie d'eau, madame Tremblay proteste et ne semble plus du tout confuse.

– Non, non, pas là, je ne veux pas y aller.

– Y a pas de danger, madame Tremblay. Je suis avec vous. Vous allez voir, c'est pas compliqué.

Le préposé tente en vain de la retirer de son fauteuil. La femme commence à s'agiter et hurle sa peur.

– Non ! Lâchez-moi ! Lâchez-moi donc ! Hé là ! C'est assez ! J'ai trop peur… Au secours ! Au secours !

En entendant ces cris de désespoir, l'infirmière en charge du service s'amène.

– Qu'est-ce qui arrive, Jean-Claude ?

– Je suis pas capable de l'asseoir dans la baignoire. Elle se débat trop. C'est sa phobie de l'eau.

– C'est jeudi, et madame Tremblay va prendre son bain comme les autres. On l'a toujours trop écoutée. Va au poste et demande de l'aide.

Jean-Claude obéit, sachant trop bien qu'au cas contraire, on lui placera une mauvaise note dans son dossier personnel.

Quelques minutes plus tard, il revient avec un autre préposé. Le visage de Jean-Claude est moite et ses yeux se remplissent de colère. Inutile d'ajouter un seul mot. Le grand chef a parlé. Avec beaucoup de difficulté et non sans lui faire mal, on réussit à asseoir la patiente sur la chaise hydroélectrique que l'on descend lentement dans l'eau. La patiente s'époumone.

– Ouch! Ouch! Au secours! Au secours! Y vont me tuer, y vont me noyer. Ôtez-vous! Non! non! Je vais mourir. Vous allez me brûler! Au secours! Quelqu'un peut m'aider?

Le fauteuil touche enfin le fond de la baignoire. Madame Tremblay a le visage cyanosé. Sa respiration est si rapide qu'elle a de la difficulté à parler.

– Mon bras est cassé, c'est tout rouge. Au secours! Ouch! Vous m'avez brûlée. J'étouffe! Je vais mourir. Mon Dieu! Y vont me noyer!

L'infirmière en chef se retire, scandalisée par cette peur hystérique de l'eau.

– C'est à croire qu'elle ne s'est jamais lavée. Y a toujours bien un bout.

La tête appuyée contre le mur, Alice pleure en silence et tous ses membres tremblent. Les autres patients, qui sont venus allonger la file, attendent en silence, le regard craintif. Ils ont tout entendu.

Madame Tremblay continue de protester, mais on dirait que sa voix s'enroue.

– Arrêtez! Arrêtez! C'est assez. J'en peux plus...

La porte s'ouvre. La patiente est méconnaissable. Son corps s'agite, sa respiration est courte et bruyante. Elle s'étouffe dans ses sanglots. En regardant les patients qui attendent leur tour, elle leur dit :

– Je vais mourir, y m'ont noyée. Y m'ont brûlée, y m'ont jetée à l'eau.

On l'emmène dans sa chambre.

– Installe-la dans son lit. Elle a besoin de repos.

Nathalie arrive, les yeux rougis. Sans dire un mot, elle installe Alice dans la baignoire. Quelle sensation de bonheur que de tremper dans une eau chaude remplie de savon ! Alice ferme les yeux pour mieux savourer cet instant qu'elle appelle « moment de tendresse ». On lui lave les cheveux à l'aide de la douche téléphone, on lui nettoie les ongles, et hop ! c'est déjà terminé. Neuf minutes à peine se sont écoulées. Inutile d'insister pour prolonger la séance. Tout est calculé à la seconde près. Nathalie s'empresse de vêtir Alice et soupire en jetant un coup d'œil à sa montre.

– Vous n'êtes pas de bonne humeur, Nathalie ?

Nathalie s'efforce pour un semblant de sourire.

– Mais oui, je suis de bonne humeur. Je pense que je peux vous dire ça à vous. Vous savez, c'est pas toujours facile de travailler avec les personnes âgées. Surtout quand on nous force à faire ou à assister à des traitements qui nous révoltent.

– Vous pouvez pas vous plaindre à quelqu'un?

– C'est pas si facile que ça. C'est sûr qu'on parle, c'est sûr qu'on exprime notre mécontentement et qu'on se dit scandalisées. Cependant, rien ne change. On n'a jamais raison. Et si on refuse d'exécuter certains ordres, on nous monte un dossier. Le climat s'échauffe, les relations deviennent pénibles et ce n'est plus possible de travailler.

De retour dans la chambre, Nathalie place rapidement les articles de toilette dans un tiroir.

– Je ferai votre chignon après le dîner. Je serai moins pressée.

Alice saisit la main de son infirmière auxiliaire et lui fait un large sourire.

– Merci Nathalie. J'aimerais mieux rester dans ma chambre. Je veux pas aller dans le corridor, s'il vous plaît, Nathalie.

Cette dernière a vite compris qu'à sa place elle en demanderait tout autant. Un clin d'œil complice, Alice reste dans sa chambre. Le temps de réciter une dizaine de chapelet pour son Philippe.

– Qu'est ce que vous faites là, madame Bernier?

Alice sursaute, ouvre les yeux. L'infirmière en chef lui lance un regard rempli de soupçons.

– Je priais.

– Vous prierez dans le corridor comme tout le monde. On ne commencera pas à vous gâter plus que les autres.

En moins de cinq secondes, Alice se retrouve dans le corridor de la mort. C'est à peu près tout ce qu'on peut y faire : attendre la mort. Alice baisse la tête sans riposter, de peur qu'on dispute Nathalie.

– Ça vous ferait du bien de faire de l'exercice. Promenez-vous un peu. Vous êtes capable de faire rouler votre fauteuil ?

Comme une enfant qu'on vient de disputer et qui se promet d'être sage, Alice avance lentement. Rendue au poste des infirmières, elle surprend une conversation.

– En tout cas, jeudi prochain, comptez pas sur moi pour donner le bain à madame Tremblay. C'est ridicule de la forcer à ce point. Je voudrais pas que ce soit ma mère.

Alice reconnaît la voix de Nathalie, qui pleure et qui gesticule nerveusement. Arrivée devant la chambre de madame Tremblay, elle y jette un regard de curiosité. Les rideaux sont fermés. Elle semble dormir sous un amoncellement de couvertures et l'on a pris soin de monter les côtés du lit. Alice pousse un soupir de soulagement. Enfin, elle ne souffre plus. À son réveil, elle ne se souviendra guère de sa baignade.

Ce jour-là, on explique au médecin que la patiente était très, très agitée et qu'elle ne cessait de crier. Bien entendu, le médecin n'en saura pas plus long et s'empressera, sous les recommandations de l'infirmière, de lui prescrire un calmant intramusculaire. Ce dernier se révèle excellent. Madame Tremblay, trop amochée par cette posologie, cesse de se nourrir et de s'hydrater.

Les jours suivants, on doit la nourrir à la seringue. Le mardi suivant, on réussit à l'installer dans un fauteuil gériatrique. Elle s'alimente normalement, mais avec un peu d'aide. Mercredi matin, elle a repris toutes ses forces et reprend son sourire habituel.

Jeudi, c'est le retour à la baignoire, avec les refus, les cris, les plaintes et les pleurs. On administre de nouveau le calmant et l'on recommence aussi à la nourrir goutte à goutte, malgré son état de semi-coma.

Le martyre se répètera longtemps, jusqu'à ce que les employés, n'en pouvant plus d'assister à ce spectacle d'horreur, en parlent aux autorités. Depuis ce temps, madame Tremblay est devenue l'exception au règlement du service.

Chapitre 7

Cette nuit d'octobre restera gravée dans la mémoire d'Alice. Un nouveau patient que l'on a installé dans la chambre voisine crie à la mort toute la nuit. Tantôt il appelle sa femme, tantôt ses enfants, quand il n'implore pas le bon Dieu de venir le chercher.

— Mon Dieu, venez me chercher. J'en peux plus... S'il vous plaît! Je veux mourir. Je veux mourir, Annette... Annette... Où est partie Annette? Je veux mourir.

À 2 h, c'est la première tournée de la nuit. On allume les lumières dans la 401.

— Ah! Non, pas ça!

— On ne dort pas encore, madame Bernier?

Alice reste silencieuse. Pour rien au monde, elle accepterait que l'on augmente sa dose de médicaments pour dormir. On vérifie la couche de madame Grégoire ; si une petite ligne bleue apparaît, c'est qu'elle s'est souillée. On discute un peu, ça n'a pas l'air évident. C'est à peine si elle est mouillée.

« On nous a dit encore cette semaine qu'il faut ménager les couches. Il faut attendre qu'il y ait trois lignes bleues. »

On passe à Fleurette. Les rideaux sont tirés. Cette fois, aucune hésitation. Une odeur de petits dessins bruns se répand déjà dans toute la chambre. Impossible d'ouvrir la fenêtre. Le temps s'est refroidi et un vent violent fouette les vitres.

À son tour, madame Bernier fait son petit pipi doré dans la bassine.

– J'aimerais mieux aller aux toilettes.

– On n'emmène personne aux toilettes durant la nuit. C'est trop long. On n'a pas le choix.

Quelques minutes plus tard.

– Dormez bien, là. On a donné une injection au monsieur d'à côté. Ce sera plus tranquille. Normalement, on isole les patients bruyants, mais la salle est occupée.

On referme la porte de la chambre. La 401 retombe dans l'obscurité.

Alice, nauséeuse, se retient de respirer par le nez. Cette odeur qui flottera dans l'air pour le restant de la nuit l'indispose.

– Annette ! Je veux mourir ! Mon Dieu ! S'il vous plaît !

Jamais Alice n'aurait penser vivre l'agonie d'aussi près. Son cœur se serre…

Comment finira t-elle ses jours ? Aura-t-elle à souffrir comme ce pauvre homme ? Au fait, aura-t-elle une agonie, depuis le temps qu'elle prie pour qu'on vienne la chercher pendant son sommeil.

Une fois de plus, Alice se surprend à pleurer en pensant à Philippe et à ses enfants qui roupillent sans doute, ignorant l'angoisse qui l'assaille. Comme elle aimerait parler ! Mais ici, peut-on parler ? Et si oui, à qui ? La nuit, à l'hôpital, c'est fait pour dormir, pas pour parler, encore moins pour analyser ce que l'on vit.

« Mon Dieu, donnez-moi la force de retourner un jour avec Philippe. C'est trop dur de vieillir ici. »

Six heures. La tournée est si rapide que l'on décide de ne pas la réveiller, considérant qu'elle vient à peine de s'endormir.

Huit heures. Les yeux clignent, choqués par la lumière.

– Bonjour, tout le monde ! Le déjeuner arrive dans cinq minutes.

Personne n'a la force de répondre après cette nuit blanche. On redresse Fleurette, qui redescend aussitôt sous ses draps. Madame Grégoire, qu'on vient d'asseoir bien calée dans son lit, ronfle encore en montrant ses amygdales. Quant à madame Latour, c'est toujours avec le même large sourire qu'elle attaque ses rôties froides.

– Madame Bernier ! Madame Bernier ! Réveillez-vous, c'est le matin, là. Il faut que vous mangiez si vous voulez prendre des forces.

– Prendre des forces… Prendre des forces ! Laissez-moi donc dormir jusqu'à 10 h. Je ne peux pas manger, j'ai pas faim. Je veux juste dormir.

– Vous savez bien qu'on ne peut se permettre ça, ici. On a 37 patients, c'est impossible.

Bon gré, mal gré, on relève la tête du lit, pendant qu'Alice continue de marmonner.

– Un bel œuf au miroir. Ça sent bon ! Madame Bernier, ouvrez vos yeux. Regardez si vous avez un bon déjeuner. C'est rare que nous ayons des œufs au miroir, faut en profiter.

Inutile d'insister davantage. Madame Bernier roupille déjà. Vers 8 h 30, on la conduit dans le corridor, après avoir procédé à sa petite toilette au lavabo. Comme tous les matins, les patients sont alignés le long du mur, attendant leur tour pour passer au *car wash*.

Un avant-midi tranquille, comme jamais Alice n'en a connu. Pas de cris, pas de pleurs, pas de plaintes, pas même de prières mélangées. Chacun essaie de reprendre, à sa façon, le sommeil perdu. Tour à tour, les fauteuils sont déplacés, afin de permettre de laver le plancher. Personne ne réagit ou ne riposte. Rares seront les patients qui se souviendront d'avoir avalé leurs pilules.

Midi. Le chariot du dîner répand une odeur à laquelle personne ne peut résister. Tous se réveillent comme par magie et c'est à qui sera le plus affamé. La lasagne est le plat favori. À la fin du repas, les assiettes semblent avoir été léchées. Personne ne refuse le moment venu de la petite sieste. Le silence s'installe de nouveau.

Madame Martin, une patiente atteinte de la maladie d'Alzheimer, se présente au poste des infirmières en montrant les poches de son tablier.

– Pauline a fait tout le ménage.

– Hé ! C'est pas vrai ! Les filles, venez voir ça, s'écrie Nathalie.

Tout le personnel se lève d'un bond pour jeter un coup d'œil au tablier. À la grande stupéfaction de tous, madame Martin a fait le tour des chambres et ramassé les dentiers qui trempaient sur les tables de chevet. Une course folle s'organise sur tout l'étage. Il ne reste qu'une demi-heure avant les visites. Le meilleur denturologue ne pourrait trouver de recette miracle. Comment savoir à qui appartiennent ces prothèses quand la plupart des patients sont confus ? Comment remettre les bons dentiers aux bonnes personnes quand, à cet âge, les dentiers sont presque toujours beaucoup trop grands, parce que souvent ajustés il y a plus de 10 ans ?

– Ouvrez la bouche ! Plus grand ! Fermez la bouche ! Est-ce que ça vous fait mal ? Dites : « haaaaaaaaaaa… » Non ! J'pense que c'est pas à elle. Ça la change trop.

On enlève le dentier, on le lave de nouveau pour en essayer un autre modèle. Si, au moins, quelqu'un avait une dent en or, on l'aurait plus facilement remarquée.

Quatorze heures. Les visiteurs s'amènent. À la grande surprise du personnel, aucun commentaire ne parvient à ses oreilles. La journée se termine à la satisfaction de tous. Personne ne saura si le hasard a bien ou mal fait les choses.

Chapitre 8

Depuis 9 h, ce matin, Alice est assise juste en face de l'ascenseur. Ses yeux bleus sont remplis d'étincelles. Le jour de grâce est enfin arrivé.

Nathalie s'est chargée de faire la toilette de madame Bernier qui, pour l'occasion, étrenne une jolie robe marine et blanc. Son petit chignon blanc, bien serré, lui confère un port de reine, ce qui n'est pas sans flatter son orgueil.

C'est Françoise qui, hier soir, lui a annoncé la bonne nouvelle. Après maintes démarches, on a enfin réussi à lui dénicher un centre d'accueil que l'on croit capable de répondre à ses moindres exigences. Gabriel, l'homme fort de la famille, s'est offert à l'accompagner pour se rendre dans sa nouvelle résidence.

Quant à Philippe, il accueille ce transfert comme un signe de mieux-être, une étape à franchir avant qu'on la lui ramène définitivement dans l'île. Simon s'est évertué à lui expliquer de long en large le pourquoi et les conséquences de ce transfert, mais ce fut peine perdue. Philippe riposte fermement, s'acharne à crier son espoir. Un jour, il en est convaincu, sa « bobichonne » pourra vieillir paisiblement à ses côtés.

◻

Alice aimerait profiter de cette balade en auto pour faire une visite-surprise à l'île de la Visitation, mais les enfants, craignant la réaction de Philippe, lui expliquent que le temps est compté.

— Tu sais bien, maman, que tout le monde travaille. Gabriel devra même allonger sa période de dîner pour t'accompagner.

Déjà comblée par l'annonce de son déménagement, Alice n'insiste pas. Le moment du départ arrivé, elle salue le personnel en jetant un dernier regard sur ce long corridor de misère.

— Bonne chance, madame Bernier. Ça m'a fait plaisir de prendre soin de vous.

Alice embrasse Nathalie. Leurs regards complices se croisent une dernière fois.

– Merci beaucoup pour tout ce que tu as fait pour moi. Je vais souvent penser à toi.

Les portes de l'ascenseur s'ouvrent. Nathalie s'empresse de les retenir pendant que Gabriel pousse le fauteuil roulant à l'intérieur.

– C'est un départ, maman.

Alice reste silencieuse et souriante, se demandant bien si elle rêve ou non.

□

Prenant place dans l'auto, elle s'aperçoit qu'après quelques mois dans cette maison grise, on oublie rapidement tous les petits luxes du quotidien. Des banquettes de velours douces et confortables. Rien de comparable avec son fauteuil roulant ni même avec son vieux matelas tout fendillé. Et que dire des fenêtres électriques qu'elle peut elle-même faire fonctionner sans attendre quiconque, comme à l'hôpital !

– Ton auto est une merveille, Gabriel. Jamais auparavant, je n'avais constaté qu'elle était aussi confortable !

Ému, son fils se contente de lui sourire. Chemin faisant, Alice ne cesse de s'exclamer, comme une enfant qui retrouve brusquement la vue. Même le soleil lui semble plus brillant et plus radieux.

C'est à croire qu'elle a passé les derniers mois dans un donjon. Le feuillage multicolore d'octobre vient allonger la liste de ses qualificatifs euphoriques. Ses yeux ne sont pas suffisamment grands et sa tête, telle une girouette, tente de graver tous ces paysages en mémoire. Le rouge devient « vermeille », le jaune est « semblable à l'or » et les orangés sont « brûlés » pendant que « l'émeraude » des pelouses s'efface lentement.

Les écoliers qui se bousculent en sortant de la cour d'école la font sourire. Sans doute se souvient-elle du temps où sa marmaille fréquentait la petite école du rang. Simon et Gabriel étaient, à cette époque, reconnus comme les plus batailleurs de la paroisse.

– Je me demande combien de fonds de culotte et de genoux je vous ai rapiécés, à toi et à Simon !

Gabriel sourit en serrant la petite main froide d'Alice.

– C'était pas toujours facile à la lueur de la lampe à huile, poursuit Alice. Puis un jour, l'électricité est arrivée, je travaillais autant, mais c'était moins dur pour la vue.

Au coin de rue suivant, Gabriel tourne le volant.

– Nous y voilà, maman. Je vais à la réception quelques instants, afin de te procurer une chaise roulante.

Alice reste bouche bée. Devant elle, se dresse un gros édifice de briques rouges. Le soleil aidant, même le plus vieil immeuble, si foncé soit-il, aurait bonne mine. Les fenêtres sont hautes et larges et elle s'imagine déjà toute la clarté qui doit y pénétrer. Longtemps, elle examine l'extérieur de son nouveau chez-soi. C'est sans doute dans cette demeure qu'elle mourra. L'angoisse s'empare d'elle un instant, craignant qu'elle trouve le temps bien long à attendre ce jour. Alice sait bien que tout est définitif et qu'à moins d'un miracle ce sera sa dernière demeure.

C'est avec beaucoup d'émotion qu'elle quitte l'auto pour se retrouver dans les bras de son fils. Fermant les yeux pour mieux goûter ce moment unique. Gabriel, qu'elle a tant bercé jeune, la prend aujourd'hui dans ses bras. Cet instant restera gravé à tout jamais dans sa mémoire. Alice se retient pour ne pas l'implorer de prolonger ce petit bonheur, s'imaginant, en même temps, qu'elle pourrait être dans les bras de Philippe.

□

Juste à droite du hall d'entrée se trouve le bureau d'admission ou l'accueil. Une dame d'une cinquantaine d'années se présente :

– Bonjour ! Vous êtes sans doute la « p'tite »
madame Bernier que l'on attendait avec impatience ?

Alice se contente de sourire, désirant avant
tout faire bonne impression.

Tendant la main, l'autre continue :

– Je m'appelle Solange Maranda, je suis responsable de l'accueil. Bienvenue chez nous, ma
« p'tite » dame.

« Décidément, pense Alice, elles ont toutes la
même manie… »

Comme elle aimerait n'avoir que six ans. Le
bel âge où rien n'est petit. À maintes reprises, on
nous dit : « Comme tu as grandi ! » À cet âge, on
rêve que tout est immense et on aime gros comme
la terre. On rêve un jour d'épouser un beau « grand »
jeune homme et d'avoir de « grands » enfants qui,
à leur tour, rêveront de « grands » projets. D'où
vient ce syndrome de tout rapetisser parce que
l'on vieillit ? Comment ne pas se sentir ridicule ?

– Si vous voulez me suivre, je vais vous
conduire à votre nouvelle chambre.

Ils attendent l'ascenseur quelques minutes, le
temps de voir l'homme de ménage promener sa
grosse vadrouille javellisée. Drôle de coïncidence,
le nouveau « home » d'Alice est situé au quatrième
étage.

Madame Maranda ouvre la porte de la chambre portant le numéro 416 : une vaste pièce très ensoleillée, un plancher de tuiles gris perle qui reluit et deux lits simples largement espacés par deux tables de chevet. Sur le mur opposé, des portes coulissantes dissimulent deux larges garde-robes, avec une section de tablettes. Dans le coin de la chambre, tout près de la fenêtre, un emplacement spécial peut recevoir un téléviseur. Derrière la porte d'entrée se trouve un lavabo, au-dessus duquel on a pris soin de placer un miroir. Quant aux toilettes, elles communiquent avec la chambre avoisinante. Un grand babillard de liège, placé juste au-dessus de la tête de lit, attire soudain l'attention d'Alice. Madame Maranda explique qu'il sert à afficher des photos ou d'autres souvenirs, voire un calendrier.

La nouvelle pensionnaire soupire de joie. Enfin, un endroit où l'on pense que les personnes âgées ont un passé chargé de souvenirs qu'il leur fait bon se rappeler en regardant quelques photos. Alice se souvient bien qu'à l'hôpital on l'avait disputée parce qu'elle avait osé coller des photos de famille : «Madame Bernier, il va falloir enlever ces photos-là, vous abîmez tout le mur. C'est un règlement.»

Ce jour-là, Alice avait longuement pleuré. Le soir venu, elle avait demandé à Cécile de rapporter les photos chez elle et de s'efforcer de bien les conserver. Comment croire que l'on prétend s'efforcer d'humaniser les soins ?

– Maman, tu es dans la lune !

– Excuse-moi, je pensais tout simplement aux photos que j'aimerais avoir.

La porte de la 416 s'ouvre lentement. Les yeux d'Alice s'interrogent en apercevant une canne blanche tâtonnant le mur.

– Madame Bernier, je vous présente votre compagne de chambre, madame Ouellette. Madame Ouellette, voici madame Bernier.

Sans hésiter, Alice fait pivoter son fauteuil et emprisonne chaleureusement de ses deux mains celle de sa nouvelle compagne.

– J'espère que je serai une bonne amie pour vous, madame Ouellette. Vous pourrez compter sur moi en tout temps. Malheureusement, je ne peux me déplacer sans cette chaise roulante.

– Comme vous pouvez le constater, moi, ce sont mes yeux qui m'ont abandonnée.

– Je suis certaine que nous ferons bon ménage. Je serai vos yeux ou vous serez mes jambes. Si vous acceptez ?

– Marché conclu !

– Je vous présente mon fils Gabriel.

– Bonjour, monsieur !

— Ravi de faire votre connaissance, madame.

— Comme j'envie votre maman d'avoir un fils.

— J'ai 12 autres enfants, tous aussi gentils que mon Gabriel, et le bon Dieu m'a donné 34 petits-enfants.

— Je ne peux en dire autant. Très jeune, je suis devenue orpheline. J'ai passé mon enfance au pensionnat. Je voyais mon frère à Noël et aux vacances d'été. Tante Clara nous hébergeait pour ces congés. Elle ne pouvait en faire plus avec ses 12 enfants, compte tenu qu'elle avait une santé assez frêle. Aujourd'hui, mon frère me visite, mais ce n'est pas toujours facile, il a 80 ans. Vous comprenez ? J'ai jamais voulu me marier de peur de laisser, à mon tour, quelques orphelins. Maintenant, vous allez m'excuser, j'ai l'habitude de faire la sieste une demi-heure tous les après-midi, question de digérer calmement. Je vous en prie, vous êtes chez vous. Prenez le temps de vous installer. Ça ne me dérange pas du tout.

— En ce qui me concerne, je dois retourner à l'admission, intervient madame Maranda. J'ai du travail à terminer. Le personnel viendra bientôt vous saluer. Si vous avez besoin de renseignements ou d'autres choses, n'hésitez pas, madame Bernier.

— Au revoir, madame Maranda, et merci.

– À mon tour, je dois te quitter, maman. Françoise et Cécile viendront ce soir, afin de t'aider à
placer tous tes effets personnels.

– C'est gentil à toi de t'être déplacé. Tu viendras me voir. Je vais t'attendre.

– C'est promis. Au revoir, maman !

Alice embrasse Gabriel et le regarde s'éloigner,
heureuse d'avoir un fils aussi charmant.

Chapitre 9

La première nuit d'Alice au centre d'accueil se déroule sans problème. À sa grande surprise, personne ne vient lui apporter de pilule pour dormir. Sans doute l'énervement et les fortes émotions de son déménagement ont-ils contribué à l'épuiser suffisamment pour lui permettre de passer une nuit parfaite.

Elle dort encore lorsqu'une jeune fille se présente à son chevet :

– Madame Bernier !

Alice sursaute, ouvre les yeux, les referme immédiatement sous l'éclairage du plafonnier.

– Quelle heure est-il ?

– Il est 5 h 30. Je dois vous lever immédiatement. Je vais vous aider pour votre petite toilette et vous habiller. Je vous descendrai ensuite à la salle à manger du rez-de-chaussée pour attendre le déjeuner.

– À quelle heure est le déjeuner?

– Normalement, vous mangez à 8 h.

– C'est pas possible, laissez-moi dormir. Il est beaucoup trop tôt.

– Il faut que vous compreniez. Nous sommes seulement deux préposées pour laver, habiller et descendre 37 patients. Tout le monde doit être installé, prêt à manger lorsque je termine mon service, à 7 h 30. Comme vous êtes située au bout du corridor, la coutume est que nous commencions par votre chambre.

La préposée, Marie-Hélène, jette un regard d'impatience à sa montre. Encore tout endormie, Alice n'insiste plus. Pour rien au monde, elle ne veut qu'on la trouve détestable, surtout en cette première journée.

À peine 15 minutes se sont écoulées lorsque Alice franchit l'entrée de la salle à manger. La préposée allume la lumière. Elle découvre une vaste pièce joliment décorée et, tout autour, des petites tables de quatre recouvertes d'un plastique transparent, pour éviter qu'on salisse les nappes de tissu orangé. Les chaises rembourrées en cuirette brune sont munies de bras et semblent confortables. Malheureusement, Alice doit manger dans son fauteuil roulant. C'est la coutume et c'est plus rapide. Marie-Hélène dirige le fauteuil tout droit, près de la fenêtre.

— C'est à cette table que vous prendrez vos trois repas. Votre place vous sera toujours réservée.

Marie-Hélène se retire aussitôt au pas de course.

— Excusez-moi, je suis pressée. Je vais revenir bientôt avec d'autres personnes.

Alice se retrouve seule et très anxieuse dans cette pièce déserte du centre d'accueil qu'elle ne connaît pas encore. Le silence est tel qu'on entendrait une mouche voler. Un sentiment bizarre monte en elle et la « bobichonne » se sent un peu comme une intruse qui n'ose avaler sa salive de peur que ce bruit ne la fasse découvrir. Bienvenue sera la personne qui viendra briser ce silence. Alice, dans un geste nerveux, regarde sa montre : 6 h 15.

« Mais c'est pas possible ! pense-t-elle. Dehors, c'est la nuit ! Dire qu'il me faudra attendre une heure quarante-cinq avant de pouvoir me remplir cet estomac qui gargouille déjà. »

Déçue, la « p'tite tête d'ange » se demande bien quels seront les autres règlements spéciaux de la maison.

« Plus ça va, plus c'est révoltant de vieillir et de constater qu'on nous oblige à faire plein de choses à contrecœur, prétextant que c'est le règlement, pense Alice. Sacrés règlements ! Y a sûrement pas de personnes âgées dans la direction ! »

À sa grande surprise, Alice s'entend terminer tout haut. Vite, elle pose la main sur sa bouche comme une fillette qui vient de prononcer un gros mot. Heureusement, personne encore n'est venu la rejoindre. C'est à croire qu'ils se sont tous rendormis là-haut. Jamais auparavant elle n'aurait pu s'imaginer qu'à 6 h du matin, plusieurs personnes âgées soient déjà attablées, attendant presque durant deux heures avant de pouvoir se mettre une bouchée sous la dent.

Comme d'habitude, madame Bernier se gardera bien d'en parler à Philippe ou à ses enfants, craignant que ces derniers, surtout, demandent à rencontrer la direction. Déjà, on la cataloguerait comme fatigante ou personne « trop gâtée dans le passé ». Certes, on lui a bien donné un jus de pomme de quatre onces, hier soir vers les 18 h, mais il y a belle lurette que son estomac est vide. On a beau dire que les personnes âgées mangent comme des petits poulets, encore faut-il savoir comment les nourrir, « ces petits poulets ». Par curiosité, Alice s'amuse à faire le calcul.

« Voyons ! J'ai soupé à 16 h 30, ce qui fait qu'à 8 h ce matin, mon estomac n'aura rien digéré depuis 15 heures et 30 minutes. Sans compter mes quatre onces de jus, évidemment. Si je me souviens bien, il n'y a toujours que 24 heures dans une journée. Ce qui veut dire que... Ah! Puis vaut mieux oublier ça, se dit-elle. Ce n'est certainement pas madame Bernier qui réussira à changer quelque chose à ce système ridicule!»

Pendant ce long calcul, 10 personnes ont rejoint Alice dans la salle à manger. Une seule a les yeux ouverts, les autres se sont rendormies tant bien que mal, le menton appuyé sur la poitrine. Impuissante devant tout cela, la «bobichonne» se conditionne à accepter les us et coutumes de la maison, sachant bien que rien ne changera tant et aussi longtemps que le gouvernement s'entêtera à restreindre le personnel.

Vers 6 h 30, les lumières de la cuisine s'allument. Deux jeunes filles et un garçon coiffé d'un chapeau blanc commencent à remuer des chaudrons. Une odeur de café, à laquelle les sinus les plus congestionnés ne pourraient résister, réveille tous les bénéficiaires comme par magie. Tous se redressent sur leurs chaises et, machinalement, approchent leur montre de leurs yeux. Plus qu'une heure et quart à attendre.

Soudain, une voix nerveuse vient rompre le silence :

— Je suis tanné d'attendre ces maudits déjeuners-là !

– Voyons donc, monsieur Proulx, vous êtes plus patient que ça d'habitude, répond la préposée en amenant un autre bénéficiaire.

– Je peux pas croire que je paie presque 800 piastres pour ça.

– Monsieur Proulx !

– Y pourrait au moins nous passer des oranges en attendant.

Tous se regardent. Impossible de détecter des approbations ou des désaccords et, bien sûr, personne n'ose répliquer.

Sept heures trente-cinq.

– Vous pouvez vous placer en ligne. On commence le service dans cinq minutes.

Chacun se précipite à son propre rythme. Alice s'étire le cou et regarde la lignée. Pas si mal : elle est la douzième de la file indienne. La dame qui la précède s'effondre sur le parquet. Tout le monde crie.

– Madame Joly ! Madame Joly !

La directrice accourt pendant qu'une infirmière auxiliaire prend les pulsations et examine en même temps les pupilles de la patiente. Quelques secondes s'écoulent, puis le médecin de la résidence pénètre dans la salle à manger. Le diagnostic est déjà connu. Madame Joly, semble-t-il, n'en serait pas à sa première chute, victime d'hypoglycémie.

— Une bonne fois, elle va se fracturer la hanche en tombant, fait remarquer l'infirmière auxiliaire.

Une jeune fille de la cafétéria tend une moitié d'orange à la directrice. On en presse quelques gouttes sur la langue de madame Joly. Peu à peu, sa tête bouge et ses jambes se déplacent lentement. Le médecin la soutient et elle réussit à s'asseoir sur le sol pour enfin se relever. On l'accompagne à sa table. Une employée de la cafétéria lui apporte son déjeuner qu'elle s'empresse de dévorer. Durant cet incident, personne n'ose commander son repas, puisqu'on n'a d'yeux que pour madame Joly.

Les émotions passées, le service se met en branle. De retour à sa table, Alice apprend par son voisin de table que madame Joly a déjà exprimé sa difficulté à être à jeun aussi longtemps. Elle a aussi demandé s'il était possible qu'elle passe la première pour se servir, et ce, au déjeuner seulement.

La direction lui a refusé ce privilège, prétextant qu'il serait trop facile pour d'autres bénéficiaires d'inventer des malaises, ce qui créerait ainsi des abus et dérogerait ainsi aux « saints règlements ».

— Vous comprenez, madame Bernier?

— Pouvez-vous m'expliquer, monsieur, qu'on nous place ici en nous disant qu'on est en sécurité?

– Vous verrez avec le temps, madame. Ici, on est en « sécurité maximum ». L'air moqueur, l'homme lui adresse un clin d'œil qu'Alice se refuse à lui retourner.

Une dernière gorgée de café et Alice se dirige lentement vers l'ascenseur, espérant reprendre un peu de sommeil. À son arrivée dans sa chambre, elle reste stupéfaite. L'infirmière-chef du service et l'infirmière auxiliaire s'affairent au chevet de madame Ouellette. Confuse, Alice se demande comment il se fait qu'elle ne s'est pas souciée de l'absence de sa voisine à la salle à manger.

– Bonjour, madame Bernier ! Je m'appelle Marie-Andrée, lance la jeune femme, en constatant son malaise. Je suis l'infirmière auxiliaire du service. Madame Ouellette s'est réveillée très grippée et sa température est plus haute que la normale. Le médecin passera la visiter cet avant-midi. D'ici là, il serait bon qu'elle reste au lit.

Alice se contente de faire un petit sourire mal assuré. De son fauteuil roulant appuyé sur le mur, elle examine minutieusement son amie. Son visage est presque aussi blanc que les draps. Ses yeux sont fermés ; impossible de savoir si elle dort ou si elle se repose tout simplement. Au pied du lit sont roulés le drap de « flanellette » et son couvre-lit. De chaque côté de son corps, on a placé des sacs de glace. Dans son for intérieur, Alice sait bien

qu'on n'a pas besoin d'être infirmière pour comprendre qu'on ne déclenche pas de tels branle-bas
pour quelques lignes de plus sur le thermomètre.

– Madame Ouellette, on vous laisse. Si vous
avez besoin de quelque chose, votre sonnette est
attachée à votre oreiller. Ça va aller?

Sans ouvrir les yeux, la dame fait un signe de
tête et les demoiselles quittent la chambre. Sans
faire de bruit, Alice ouvre son tiroir et saisit son
tricot. Pour rien au monde, elle n'oserait quitter
sa nouvelle compagne. À la fin de chaque rang,
elle jette un coup d'œil, espérant un signe quelconque qui pourrait établir le dialogue.

Ce n'est qu'au début de l'après-midi, plus pré-
cisément au début de la sieste, qu'un médecin
daigne rendre visite à sa compagne. On tire le rideau qui sépare les deux lits, pour assurer plus
d'intimité, sans doute.

– Bonjour, madame Ouellette. Ça ne va pas?
Je vais vous examiner. Ouvrez la bouche. C'est
bien beau. Tournez la tête, je vais regarder vos
oreilles… l'autre côté… c'est beau. Respirez profondément, la bouche ouverte… Toussez… toussez
encore… c'est terminé. Prenez donc sa température, s'il vous plaît.

Quelques instants s'écoulent. Personne ne
parle. Alice tend toujours l'oreille.

– Combien?

– 39,2 °C.

– Qu'est-ce que j'ai, docteur ?

– Rien de grave, madame Ouellette. Une vilaine grippe, tout simplement. Je vais vous prescrire des antibiotiques. Dans quelques jours, vous serez sur pied. Ça va ?

– Merci docteur.

– Je vais revenir vous voir demain. N'oubliez pas de boire souvent, c'est important. Au revoir, madame Ouellette.

Le rideau s'ouvre. Alice ferme les yeux. Juste avant de sortir de la chambre, le médecin chuchote à Marie-Andrée :

– Une belle pneumonie...

– Ah non ! murmure à son tour l'infirmière auxiliaire.

Alice regarde longuement sa voisine, ne sachant trop comment agir.

– Madame Ouellette, ne vous en faites pas. Je reste avec vous. J'ai élevé 13 enfants, j'en ai déjà vu d'autres. Reposez-vous, je m'occupe de vous donner de l'eau toutes les heures, marché conclu ?

La tête tourne difficilement sur l'oreiller et un mince sourire vient éclairer son visage.

Alice heureuse, reprend à voix basse :

– Ne vous en faites pas. Je vous l'ai dit, je ne fais jamais de sieste l'après-midi.

Installée à son poste, Alice continue de tricoter son foulard. «Je suis enfin utile à quelque chose», pense-t-elle.

Treize heures, quatorze heures, quinze heures. Madame Ouellette avale un verre d'eau toutes les heures. Marie-Andrée apporte son premier antibiotique qu'elle lui fait prendre après avoir vérifié sa température. Cette dernière fronce les sourcils en regardant le thermomètre.

— Sa température a monté? demande Alice.

— Un petit peu.

— Je lui ai donné un verre d'eau toutes les heures.

— C'est bien, ça.

Avant de quitter la chambre, on remplace ses sacs de glace. Madame Ouellette frissonne.

□

Au cours des semaines qui suivent, l'état de santé de madame Ouelette ne fait qu'empirer. Seule la température revient peu à peu à la normale, et les antibiotiques sont arrêtés.

Depuis trois jours toutefois, son teint est ictérique. Madame Ouellette reçoit régulièrement de la morphine. De son côté, Alice se plaît à répéter que sa voisine a eu un choc lorsque, il y a 10 jours, le médecin lui a annoncé le décès de son frère, le seul parent qu'il lui restait.

Les effets secondaires de la morphine lui font faire des cauchemars. Parfois, elle s'éveille en sursaut et dit voir plein de choses inimaginables. Encore ce matin, elle cherchait les oiseaux bleus. Au moindre contact, elle s'agrippe au personnel comme si elle avait peur. Le fait qu'elle soit aveugle ne l'aide certes pas.

De plus, Alice a remarqué que Marie-Andrée doit lui parler de plus en plus fort pour qu'elle réagisse. Inutile d'ajouter que madame Ouelette ignore sa compagne de chambre et qu'elle semble vivre dans un autre monde.

Lorsque, ce jour-là, on lui fait sa toilette, elle est prise d'un moment de panique et égratigne le bras de l'infirmière. Geste qui, il va sans dire, n'est pas du tout apprécié et qui prend une importance exagérée aux yeux de l'infirmière-chef du service.

Au lendemain de ce petit incident, l'infirmière-chef, bien décidée, demande à une infirmière qui travaille occasionnellement au service de se charger de couper les ongles de madame Ouellette.

– J'ai jamais vu une personne agressive comme elle. Imagine donc qu'hier elle a égratigné l'une de mes infirmières. Si tu as besoin d'aide pour la

tenir, tu demanderas une préposée. Il faut absolument lui couper les ongles.

L'infirmière se dirige vers la 416 avec le coupe-
ongles dont on se sert pour couper les ongles d'or-
teils les plus coriaces. Après une vaine tentative,
elle revient au poste, avouant son échec.

— C'est épouvantable, elle bouge bien trop.
C'est pas possible.

En entendant cette remarque, l'infirmière-chef
se dirige vers le gong et frappe cinq coups, pour indiquer au personnel qu'on demande une préposée.

— Oui ?

— Louise, on a besoin de toi pour tenir la patiente, pendant qu'on lui coupera les ongles.

La préposée saisit une main de la patiente pour
l'empêcher de toucher au coupe-ongles. Aussitôt,
madame Ouelette réussit à se libérer la main en
faisant de grands gestes affolés, tout en gromme-
lant quelques mots. On fait un deuxième essai,
sans succès. On en avise l'infirmière-chef.

— Je vais envoyer l'aide nécessaire. Il faut absolument que ça se coupe, ces ongles-là.

Complètement affolée et ne pouvant voir ce
qui lui arrive, la patiente bouge sans cesse en
maugréant. L'infirmière place le coupe-ongles sous
le tiers de l'ongle du petit doigt et exerce une
pression. Madame Ouellette crie, une goutte de

sang tombe sur sa chemise de nuit. On a réussi enfin à lui couper un morceau d'ongle, mais aussi un morceau de peau.

Sans doute un accident ou une maladresse. On replace le coupe-ongles sous le centre de l'ongle du même doigt. Les préposées réussissent à peine à la maîtriser, même si elle ne pèse maintenant que 80 livres. L'infirmière appuie de nouveau et un hurlement fait sursauter tout le monde. Le sang coule à nouveau et l'on appuie une troisième fois. Son doigt est tout rouge. Au tour du deuxième doigt.

Dans le service, on se croirait dans un camp de concentration. Les hurlements sont de plus en plus forts et de plus en plus implorants. Le reste du personnel se dirige à l'autre bout du corridor, espérant ne plus entendre ces lamentations. Mais la longueur du corridor ne suffit pas à étouffer la douleur. Seule l'infirmière-chef demeure dans son bureau sans bouger.

La première main terminée, les préposées suggèrent d'arrêter. L'infirmière ne veut rien entendre. Chaque doigt de la deuxième main a droit au même traitement. La patiente réussit à peine à reprendre son souffle entre deux blessures. Les hurlements continuent et semblent parfois s'exténuer.

C'est terminé. Les préposées remplacent la chemise d'hôpital souillée, ainsi que le drap. Il y a du sang partout.

Dans le corridor, les préposées sont muettes et les larmes leur montent aux yeux. L'une d'entre elles se dirige tout droit dans le bureau de l'infirmière-chef et se met à pleurer. D'une voix tremblante, elle proteste :

— C'est épouvantable… Je ne veux plus jamais que ça se reproduise, son linge est plein de sang. On lui a coupé la peau à chaque fois. Trente blessures !

Sans bouger, l'autre rétorque :

— Ce qui devait être fait a été fait !

Chapitre 10

C'est avec stupéfaction qu'Alice constate que le deuil n'a pas de place à la résidence. À peine une vingtaine de minutes se sont écoulées depuis que la maison funéraire est venue chercher sa compagne de chambre. Le lit a été désinfecté et refait. Les choses se sont déroulées si rapidement qu'elle se croit victime d'un cauchemar. Paraît-il qu'il faut que le monde continue de tourner. Dans la chambre, plus aucune trace de celle avec qui elle s'était liée d'amitié. Alice se surprend à réfléchir. « Mais j'y pense ! C'est impossible, incroyable, aucun médecin n'est venu constater le décès ? Ne serait-ce que pour appuyer un stéthoscope sur sa poitrine et s'assurer que le cœur était bien arrêté. Et si c'était un coma ? »

De discrètes recherches lui apprennent que ce sont dans les us et coutumes de l'établissement. Le seul médecin rattaché au centre d'accueil refuse qu'on le dérange la nuit ou les fins de semaine pour constater un décès. Les certificats sont donc remplis et signés à l'avance. Seules la date et l'heure de la mort sont ajoutées le moment venu. Il est entendu que le personnel soignant doit indiquer au dossier que le médecin est appelé et, ensuite, qu'il se présente pour constater le décès. Malheur à celui ou celle qui refuse de se conformer à ces directives. La direction verra à le congédier pour un tout autre prétexte.

« Si seulement Philippe et les enfants connaissaient la vérité. Mon Dieu ! Faites-moi mourir le jour pour que j'aie au moins droit à une visite du médecin », pense Alice.

Une fois le dîner terminé, la « bobichonne » se hâte de retourner dans sa chambre. À sa grande surprise, sa nouvelle compagne de chambre est déjà installée dans son lit.

– Bonjour, madame ! Je suis madame Bernier. C'est avec moi que vous partagerez la chambre. Je vous souhaite la bienvenue.

– Vous ne marchez pas ?

Surprise d'une telle réplique, Alice reste muette. Une grosse voix rauque ajoute à la surprise, et quelle force de voix !

— Moi, mon docteur m'a dit que je marcherais plus jamais, parce que je suis trop grosse. Comme ça, y aura pas de jalousie entre nous deux. Mon nom, c'est madame Demers, j'ai 82 ans. Bon, ben là, faut que je dorme un peu.

Alice se dirige vers la fenêtre afin de se faire chauffer le dos au soleil, question d'éloigner les rhumatismes. Un ronflement aussi puissant que la voix rauque la surprend.

Profitant du sommeil de sa compagne, Alice l'examine de plus près. Une figure ronde comme la lune, agrémentée de belles pommettes rougeaudes. Un poids respectable que plusieurs jugeraient comme un signe de prospérité. Des bras aussi en santé remplis de taches rousses et des doigts potelés décorés de petits joncs de cuir multicolores. Alice gagerait que ce sont des souvenirs de bingo de son ex-résidence. Curieuse, elle ouvre délicatement la garde-robe : ni vêtements ni pantoufles. Dans la salle de bains, aucun effet personnel pour sa toilette, pas même une brosse à dents.

— Pauvre femme, se dit Alice.

La porte s'ouvre…

— Madame Demers !

— Qu'est-ce que vous voulez ? grommelle l'intéressée.

— On vient juste changer votre couche. Vous allez pouvoir vous rendormir.

On tire les rideaux.

– Tournez-vous un peu ! Encore plus ! De l'autre côté. Levez vos fesses.

– Pas capable.

– Essayez juste un petit peu. Ah non ! On a déchiré la couche. Y lui faudrait une large, la moyenne, c'est bien trop petit pour elle. Ça n'a pas de bon sens.

– Tu sais bien qu'hier on nous a averties que c'en était fini des grandes couches de papier. Ça coûte 76 ¢. À partir d'aujourd'hui, on aura juste la moyenne parce qu'elle coûte 57 ¢. Trop grande ou trop petite, faut s'arranger pour que ça fasse. Le confort, ça n'a plus d'importance, c'est le budget qui compte.

On s'empare d'une seconde couche.

– Faut pas manquer notre coup, là...

– Tournez-vous encore ! Encore un peu. Plus, plus, plus, vous êtes capable !

– On pourra jamais attacher ça, avertit l'une des préposées.

– Est-ce qu'on a le choix ?

– Hé là ! C'est bien trop serré. Détachez-moi ça, ça va tout me couper, crie la femme.

– Vous allez vous habituer. Dans quelques minutes, vous serez plus à l'aise.

– Maudite couche ! Où j'étais avant, ça faisait pas mal comme ça.

Les deux jeunes filles se regardent, impuissantes, et quittent la chambre après avoir repoussé le rideau. Alice n'en croit pas ses oreilles. Quelques instants plus tard, madame Demers attrape la cloche d'appel.

– Vous avez sonné ? Qu'est-ce qu'on peut faire pour vous ?

– Je viens de pisser !

– On vous envoie quelqu'un.

Les deux jeunes filles réapparaissent et la scène recommence. Une forte odeur d'ammoniac se répand dans la chambre. Même le piqué est souillé. On le remplace et l'on s'efforce une fois de plus d'ajuster une couche « moyenne », malgré les protestations de la patiente et les replis de peau qui dépassent de partout. Ceci fait, on dépose le piqué imbibé d'urine sur le radiateur à eau chaude, juste sous la fenêtre. C'en est trop, Alice s'empourpre :

– Non, non, non. Vous n'êtes pas sérieuses. Vous n'allez pas faire sécher son piqué sur le calorifère ! C'est quoi cette folie-là ?

– Madame Bernier, chaque patiente de la résidence a droit à un maximum de deux piqués toutes les 24 heures. Si le piqué est souillé de selles, là on peut l'envoyer à la buanderie, sinon, on le fait sécher et on alterne jusqu'au lendemain. Tout ça à cause des restrictions budgétaires.

– Qu'est-ce que vous pensez que ça va sentir dans ma chambre, hein ?

– On va ouvrir un peu la fenêtre, ça ira ?

– Je trouve que vous n'êtes pas humaines pour deux cents.

– On n'a pas le choix, ici. C'est ça ou on nous remercie de nos services. Ce qui ne veut pas dire qu'on ne vous comprend pas.

Impuissante, Alice pleure jusqu'à s'endormir d'épuisement.

☐

Tôt, après le souper, Françoise, Cécile, Simon et Philippe se rendent à la résidence.

Toc ! toc ! toc !

– Maman ?…

La roue du fauteuil heurte la porte à quelques reprises avant qu'Alice réussisse à ouvrir. Rapidement, les enfants remarquent que la « p'tite tête d'ange » a une fois de plus versé des larmes et l'on s'interroge sur ce qu'elle cache. Le jeu des devinettes ne dure pas. L'odeur d'urine a tôt fait d'expliquer le malaise et le désarroi d'Alice.

Scandalisé, Simon saisit le piqué tout raide de pipi et se dirige d'un pas décidé au poste des infirmières. La discussion s'anime rapidement de part et d'autre. La responsable du service s'enflamme tout comme si la résidence lui appartenait. Simon abandonne. Une flèche lui est lancée droit au cœur.

— Peut-être qu'à bien y penser, ce ne serait pas une mauvaise chose que vous repreniez votre maman, si vous pensez qu'elle est malheureuse ici ?

Excellente façon de culpabiliser davantage la famille. Quelle ruse adroite pour décourager et effrayer la famille qui ose contester ou questionner davantage le règlement. C'est peut-être cela, « retourner le fer dans la plaie ».

Simon se souvient très bien comment la famille a vécu le placement de sa mère et pour rien au monde il ne voudrait revivre ces instants cruels.

Chapitre 11

À peine a-t-on vu se lever le soleil qu'il a déjà disparu. Une pluie torrentielle, accompagnée de vents violents, frappe les fenêtres. Les éclairs sillonnent le firmament. Un orage comme on n'en a pas vu depuis longtemps.

Dans le service, c'est le silence. Personne ne crie, personne ne pleure. Les patients les plus confus semblent eux aussi réaliser ce qui se passe à l'extérieur. Sans doute quelques personnes se souviennent-elles des ravages que faisait autrefois la foudre à la campagne ? À cette époque, c'était chose courante.

☐

Alice n'avait que 15 ans lorsque, une nuit, elle avait sursauté dans son lit. Jamais le tonnerre ne lui avait fait peur à ce point. Elle s'était aussitôt levée et dirigée vers la fenêtre. L'étable de la ferme voisine flambait. Elle avait crié. La famille entière fut alertée et le bébé se mit à hurler.

– Veux-tu bien dire ce qui t'arrive, Alice ?

– Maman, l'étable de monsieur Létourneau est en feu !

– Ah ! Mon Dieu ! Vite, Alice, cours avertir monsieur Poulin. C'est lui qui s'occupe des pompiers volontaires. Il demandera au bedeau de sonner les cloches pour avertir tout le monde. Ne t'attarde pas et reviens aussitôt !

En tant qu'aînée de la famille, il lui arrivait souvent de remplacer son père, qui était bûcheron et qui devait s'absenter des semaines, voire des mois pour réussir à faire vivre sa famille.

Alice se souvient qu'une fois, son père était arrivé du bois beaucoup plus tôt que prévu. Une engelure à un pied l'avait retenu à la maison pour le reste de l'hiver. Les enfants avaient apprécié cet accident, puisque pour faire passer l'ennui, il avait confectionné plusieurs traîneaux et même quelques paires de ski ! Ce fut un hiver merveilleux, qu'Alice prend plaisir à se remémorer, tout en avançant lentement dans son fauteuil roulant.

En passant devant le poste des infirmières, Alice est tirée de sa rêverie. Des infirmières discutent fort.

– Ben voyons donc, c'est pas sérieux, vous n'avez pas d'eau stérile ?

– On n'en a jamais eue.

– J'ai une injection de pénicilline à donner. Il me faut absolument de l'eau stérile pour l'injection, sans quoi, je ne peux dissoudre la poudre de Vial.

– Fais comme tout le monde, prends l'eau du robinet.

– Pardon ?

– Ici, t'as pas le choix. C'est ça ou c'est rien.

– Êtes-vous conscientes que si j'administre cette injection avec de l'eau du robinet, mon patient peut faire une septicémie et en mourir ? Ça fait deux semaines seulement que je travaille ici et, chaque jour, j'en reviens pas. Hier, j'ai appris que vous n'aviez aucune compresse stérile pour faire les pansements. La fin de semaine dernière, ma patiente, qui est en phase terminale d'un cancer, n'a pas eu de morphine sous prétexte qu'il n'en restait plus. On m'a donné comme réponse qu'étant donné l'absence de pharmacie à l'intérieur de ce petit hôpital, il fallait attendre à lundi matin pour que la directrice en commande d'une pharmacie extérieure. C'est pas croyable ! Et ça, sans compter que même les sondes vésicales ne sont pas stériles. Vous devriez toutes refuser de faire ces traitements.

– Écoute bien ! Mon mari est au chômage. J'ai trois enfants. Je suis obligée de travailler.

– Moi, je suis divorcée, c'est du pareil au même. Si tu dis quelque chose, on va tout simplement te foutre à la porte sous un prétexte quelconque. En plus, on refusera de te donner une lettre de recommandation. Sans compter que partout où tu postuleras, on t'offrira au maximum deux jours semaine. Tu vas voir que ton panier d'épicerie va diminuer. Il n'y en a plus d'endroit où l'on offre du temps complet. Est-ce que tu comprends maintenant pourquoi on se tait ? On a toutes besoin de gagner notre vie.

– Paulette et moi, on est Haïtiennes. On nous a engagées parce qu'on était les seules à avoir postulé ce poste. Si on conteste, on se retrouvera sans travail et peut-être pour longtemps.

– Faut faire quelque chose, les filles, ça n'a pas de maudit bon sens…

– Qu'est-ce qu'il y a Francine ? Je t'entends crier depuis tantôt. Passe à mon bureau, on va jaser.

– Les filles, Francine est « faite à l'os ». Je suis certaine qu'on va la remercier. Surtout que la coordonnatrice a tout entendu !

– Francine ! À ce que je sache, ça ne fait que deux semaines que tu es à notre emploi. J'aimerais bien savoir ce que tu as à dire. Sans compter que, le matin, tu es souvent en retard.

– Je refuse de faire des traitements pour lesquels je n'ai pas le matériel nécessaire. Je pense que les animaux sont mieux traités que nos patients.

☐

Le lendemain matin, Francine est congédiée sous une multitude de prétextes. Alice s'est promis de bien mémoriser tout ce qu'elle a entendu. Un jour, elle en parlera à Philippe et aux enfants. Elle se doit, à tout prix, de ne pas finir ses jours dans ce « poulailler ».

Chapitre 12

Ce matin, à la grande surprise des bénéficiaires, les déjeuners se prennent au lit. Ce n'est que vers 8 h qu'ils se sont réveillés. Ils sont ravis d'avoir fait la grasse matinée.

Alice apprend que l'infirmière-chef s'est présentée à 6 h pour rencontrer le personnel de nuit, pour ensuite s'entretenir avec le personnel de jour. La raison ? Une campagne de restructuration du budget, qui est déficitaire de 100 000 $. L'infirmière-chef prend son rôle très à cœur, d'autant plus qu'elle aura un bonus à la fin de l'année, si elle ne dépasse pas son budget. On lui propose une panoplie de moyens pouvant conduire à une réduction du déficit.

Le personnel ne réapparaît au service que vers 9 h 30. Les visages semblent stressés. La course et le travail des abeilles reprennent de plus belle, d'autant plus qu'on a du retard.

Toujours aussi curieuse, madame Bernier arpente le corridor dans son fauteuil roulant. Inquiète, elle se demande quelles bonnes idées on a encore inventées. Certes, ce seront encore les malades qui paieront la facture, mais à quel prix?

Juste avant de descendre à la cafétéria pour y prendre son dîner, elle saisit une conversation, sur un ton qui va en s'intensifiant.

— Je viens de vous le dire, ce matin. Regardez ici, les lignes jaunes ne sont pas bleues jusqu'au bout, ce qui veut dire qu'on n'aurait pas dû changer la couche de la patiente. La représentante de la compagnie de couches nous les garantit comme pouvant recevoir «quatre pipis» avant de les remplacer. Je vous avertis que je vais être très vigilante afin que ce soit respecté par tout le personnel.

Alice appuie de nouveau sur le bouton de l'ascenseur, faisant mine de n'avoir rien entendu, pendant que l'infirmière-chef reprend sa place au poste de garde.

Ce matin-là, c'est à contrecœur qu'elle tente d'avaler tout son repas, mais les paroles entendues la scandalisent et ont tôt fait de lui couper l'appétit.

De retour dans sa chambre, elle constate que c'est la sieste quotidienne pour sa compagne.

Profitant de ce répit et sentant le besoin de parler à quelqu'un, elle appelle Philippe. À sa grande surprise, ce dernier l'accable de tous les maux.

– Qu'est-ce que t'as pensé de m'abandonner comme ça ? T'es bien là, hein, avec ta gang de vieilles. T'as pu besoin de t'occuper de moi. Tu vas voir quand tu vas arriver de l'autre côté, le bon Dieu te le pardonnera pas. Les enfants me l'ont dit. Ils le prennent pas, eux autres non plus. T'aurais dû le dire que ton chez-vous, c'était dans l'île, pis qu'il y avait un vieux fou qui t'attendait, pis qui t'aimait encore... Sa voix se déchire. Alice ! Dis-moi donc qu'est-ce qu'on a fait de mal pour que ça nous arrive à nous autres ? Alice ? Alice, es-tu là !

Elle n'en croit pas ses oreilles. Elle ravale ses larmes silencieuses et réussit à rajouter quelques mots :

– On n'a rien fait de mal, Philippe. C'est la vieillesse, c'est tout. On est juste trop vieux pour vivre dans ce monde-là.

– Si c'est ça, vieillir, j'aime mieux mourir, Alice. Plus ça va, plus je suis fatigué et plus j'ai besoin de toi.

– Je vais appeler Gabriel et lui demander d'aller te chercher ce soir pour l'heure des visites. Je pense que ça va nous faire du bien de passer quelques heures ensemble. Faut que tu te reposes un peu cet après-midi. Pense que moi aussi j'ai besoin de toi. Je t'embrasse bien fort, Philippe. À ce soir !

— Alice, n'oublie jamais que je t'aime, puis que je t'attends toujours.

Inconsolable, Alice s'approche de la fenêtre et regarde tomber la neige, s'imaginant l'île sous ce tapis blanc.

☐

— D'ici peu de temps, j'aurai de la neige aussi sur mes cheveux, pense la «bobichonne».

Philippe l'inquiète de plus en plus. On dirait même qu'il semble confus par moments. D'aussi loin qu'elle se souvienne, jamais Philippe n'avait eu de sautes d'humeur. Elle en parlera bientôt à ses enfants.

☐

L'heure des visites est déjà terminée. Philippe et Alice s'embrassent, puis se tiennent la main jusqu'à ce que la porte de l'ascenseur les oblige à lâcher prise.

— Bonne nuit, maman, lance Gabriel.

Alice reste quelques secondes devant l'ascenseur, surveillant la petite flèche qui indique à quel étage la cage est arrivée. Puis, lentement, elle re-gagne sa chambre. Le personnel a tôt fait de l'installer pour la nuit.

— Hé ! Qu'est-ce que vous faites là ! Donnez-moi mes couvertures !

— C'est le nouveau règlement, madame Ber-nier. À partir d'aujourd'hui, on roule le drap, le couvre-lit et la couverture thermale jusqu'au pied du lit et on vous recouvre d'une alaise. De cette façon, s'il vous arrive de vous mouiller durant la nuit, on épargne la literie et on économise.

— Vous savez que je n'ai jamais mouillé mon lit. Je suis trop frileuse pour avoir juste une alaise de coton, à plus forte raison durant la nuit. Je vais en parler avec mes enfants pas plus tard que demain.

— Bon, on va faire une exception pour vous, mais si jamais vous vous échappez, on va se faire gronder et on sera obligé de rouler votre literie comme on le fait pour tous les autres patients.

— J'ai bien hâte de voir ça...

— Bonne nuit, madame Bernier !

Chapitre 13

Ce matin, une forte odeur d'ammoniac, d'urine et de selles remplit la résidence. Le personnel a la nausée.

– Vous allez me trouver bien curieuse, mais c'est ma nature. D'où vient cette odeur-là, c'est terrible ! On ne peut pas continuer à rester dans ça ?

– Je suis bien d'accord avec vous, ma petite dame, mais vous n'avez pas fini de respirer ça.

– Je ne comprends pas…

– Ici, on n'a pas de chute à linge. Donc, on empile les sacs de linge souillé dans l'escalier au bout du corridor. La lessive se fait à l'extérieur et la cueillette se fait du lundi au vendredi. L'escalier est déjà obstrué à partir du rez-de-chaussée jusqu'au premier étage. Pour comble de malheur, lundi, c'est fête, ce qui veut dire que lundi, il y aura des sacs jusqu'au deuxième étage.

– Mon Dieu ! S'il fallait qu'il y ait un incendie !

– La direction sait tout ça, madame Bernier. On a fait beaucoup de plaintes et vous avez raison de craindre un incendie, puisqu'on ne dispose que de deux escaliers, un à chaque bout de la résidence.

– On a un bon Dieu pour nous autres. J'ai l'impression qu'aujourd'hui, des vieux, c'est pas important. De toute façon, on n'a plus la force de crier bien fort.

– Vous allez m'excuser, madame, mais je dois continuer à passer ma vadrouille. Ça va peut-être compenser pour le reste. Au fait, y faudrait pas dire que c'est moi qui vous ai raconté tout ça. Je le nierais de toute façon.

– Vous pouvez me faire confiance. Ça fait longtemps que j'ai compris tout ça.

Alice se dirige vers l'autre bout du corridor, espérant que ce sera plus confortable.

Songeuse, elle se demande bien ce qu'elle a pu faire aux enfants pour qu'ils la placent dans un pareil « poulailler ». Quant à Philippe, sans doute est-il beaucoup trop épuisé pour voir tout ce qu'elle lui cache.

Appuyant son front contre la fenêtre, la « bobichonne » se laisse gagner par la nostalgie, tout en regardant tomber la neige qui, rapidement, se transforme en tempête.

Que de souvenirs ! Quelle joie elle avait eue à préparer le réveillon chaque année ! Novembre était toujours réservé à la popote de Noël. Avec 13 enfants à table, sans compter les invités, un mois suffisait à peine. Alice se faisait d'ailleurs un orgueil de tout préparer elle-même. Il incombait à Philippe de dénicher un sapin dans la forêt et de le choisir le plus fourni possible. C'est l'avant-veille de Noël qu'on l'installait dans le salon et c'est au son des cantiques venant du gramophone RCA que toute la famille s'unissait pour décorer l'arbre, au pied duquel Alice faisait apparaître mystérieusement son « p'tit Jésus de cire » à « minuit juste ».

Et que dire de la messe de minuit à la campagne sous un ciel étoilé. Philippe, heureux, acceptait volontiers de faire deux voyages en carriole, la famille étant trop nombreuse pour un seul transport.

Dans le fond de la carriole, Philippe disposait des briques qu'il avait réchauffées sur la porte du poêle à bois. Les enfants avaient ainsi moins froid aux pieds. À cela s'ajoutaient des peaux de chevreuil qui recouvraient leurs épaules.

Au retour de la messe de minuit, c'est avec les pommettes bien rouges que chacun s'empressait de s'attabler pour déguster les délices que la « bobichonne » avait préparés avec tant d'amour. Pour sa part, Philippe se faisait un plaisir de servir une petite coupe de Saint-Georges à tous ceux et celles qui aimaient ce « p'tit boire ».

Suivait la remise de belles pommes rouges et d'oranges odorantes. Le repas terminé, on desservait la table que l'on rangeait dans la cuisine d'été, tandis que l'oncle Roland s'exécutait déjà à l'accordéon musette pour faire danser tout le monde.

□

– Madame Bernier ! Madame Bernier !

Alice sursaute, surprise de s'être laissée emporter par ses souvenirs.

– Qu'est-ce qu'il y a ?

– On vous demande au téléphone.

– Ah bon… Merci d'être venue jusqu'ici pour m'avertir.

Afin de ne pas faire attendre davantage son correspondant, Alice se hâte en accélérant les roues de son fauteuil.

– Allô ? Simon ! Comment vas-tu ? Un décès ? Je peux savoir qui ? La pauvre, elle a bien mérité de se reposer un peu ! Même si c'est une petite cousine, ça fait toujours quelque chose d'apprendre ça. Dire qu'elle a été hospitalisée pendant sept ans en attente d'une place dans un centre d'accueil et que jamais elle n'a réussi à être acceptée sous prétexte qu'elle avait des troubles de comportement. Vivre toute une vie pour être rejetée de la sorte… Pauvre Mimi ! La prochaine fois que tu viendras me voir, je te donnerai de l'argent pour lui faire dire une messe. C'est bien le mieux que je puisse faire. Merci de m'avoir appelée. À bientôt, mon grand. N'oublie pas d'embrasser les enfants pour moi.

□

Dans le courant de l'après-midi, le médecin de la résidence vient faire sa visite.

— Mon Dieu ! Est-ce que madame Pilon se glisse toujours comme ça dans son fauteuil ?

— Eh oui, docteur. Elle n'a malheureusement pas le réflexe ou la force de se relever elle-même. Inutile de penser de la faire circuler seule. Elle fouille dans les chambres, et les patients s'en plaignent.

— On va solutionner tout de suite son problème. Demander à l'homme de l'entretien qu'il vienne cimenter son fauteuil au plancher. Voyez-vous juste ici, là…

Surprise, mais obligée d'exécuter les ordres du médecin, l'infirmière auxiliaire s'empresse d'appeler à l'entretien, afin que le tout soit fait tel que demandé.

Le lendemain matin, immédiatement après la toilette :

– Madame Pilon, on va vous installer dans le fauteuil, ça va vous reposer du lit.

– Moi, je vais la soulever par en dessous des bras. Toi, tu t'occupes des jambes. Ça va aller ?

– Je l'espère bien…

C'est avec grande difficulté que madame Pilon prend place.

– Quelle invention impossible !

Alice, en passant lentement dans le corridor, examine la situation, ou plutôt cette nouvelle posture.

– C'est pas possible, marmonne-t-elle tout bas.

Madame Pilon est assise bien droite dans son fauteuil, impossible qu'elle glisse. On a cimenté ce dernier au pied de son lit. Ses jambes sont pliées en deux et ses genoux, appuyés sur le pied du lit. Il ne lui reste qu'à contempler son lit et le mur à la tête de celui-ci.

Alice, la larme à l'œil, craignant d'attirer l'attention, continue d'avancer en regardant un peu partout. Peut-être un jour sera-t-elle sans défense comme cette pauvre dame ? Quel sort lui réserve-t-on ? La « p'tite tête d'ange » supplie le Ciel de mourir vite, mais se ravise aussitôt en pensant à Philippe qui l'attend toujours dans l'île.

□

Quelques semaines s'écoulent avant que madame Pilon reçoive des visiteurs. Surpris, ces derniers s'interrogent en remarquant qu'elle ne marche plus et que lorsqu'elle repose dans son lit, on ne peut lui allonger les jambes… On questionne le personnel qui, naturellement, est peu loquace. On demande à voir le médecin, qui leur explique subtilement qu'il en allait de sa sécurité, sinon…

Émue et impuissante devant ce système, la famille se retire après avoir longuement regardé celle qu'ils ont, aujourd'hui, peine à reconnaître.

Chapitre 14

Noël est passé. Alice n'a pu assister au souper donné chez Françoise. Simon et Gabriel se sont offerts pour transporter leur mère, mais elle n'a pu obtenir de permission de sortie, étant victime d'une grosse pneumonie. Heureusement, son organisme a bien réagi aux antibiotiques. Ce matin, elle a appris avec joie que son médecin l'autorise à reprendre son fauteuil roulant.

— Vous êtes sérieux, docteur ?

— Oui, à la condition, naturellement, que vous n'en abusiez pas.

Souriante, la « bobichonne » ajoute :

— Ne vous en faites pas, docteur. Je ne suis plus à l'âge des abus. C'est pas aujourd'hui que je vais commencer à avoir le pied pesant.

Quelques minutes s'écoulent après le départ du médecin, puis un préposé entre dans la chambre.

– Bonjour, madame Bernier. Comme ça, ça va mieux ?

– Oui, monsieur. Et croyez-moi, ce n'est pas trop tôt.

– Je vais vous asseoir dans votre nouveau fauteuil électrique. C'est vrai que le père Noël a été généreux.

– À mon âge, je ne crois plus au père Noël. C'est le cadeau que mon mari et mes enfants m'ont fait. J'appelle ça ma « Cadillac ». Bien sûr, ça ne remplace pas mes jambes, mais c'est moins épuisant.

□

« Que de figures nouvelles », se dit la « bobichonne » en arpentant le corridor.

De peur qu'on lui réponde que les nouveaux occupants ont remplacé ceux qui sont décédés, Alice n'ose pas poser de questions au personnel. Se peut-il qu'il y ait eu tant de changement pendant les trois semaines de sa maladie ?

– Je veux ma pipe, garde !

Alice tourne la tête et reconnaît monsieur Dupuis.

– Ça fait longtemps qu'on vous a vue, madame Alice. Je pensais bien que vous étiez partie, vous aussi…

— Partie pour où ?

— Ben voyons ! Vous n'êtes pas sans savoir qu'il y a eu une épidémie de pneumonie dans le service. Ç'a duré tout le temps des fêtes. Les salons mortuaires ont dû faire fortune.

Alice réfléchit en silence.

— C'est donc ça, les nouveaux visages…

— Au total, y en a huit qui sont décédés. Vous avez été chanceuse de vous en tirer, madame Alice.

— Parlez-moi de vous, monsieur Dupuis.

— Ah, moi, ça va, à part ma pipe, bien entendu.

— Votre pipe ? Je ne comprends pas.

— Les gardes-malades ont toutes leur petite « tête de cochon », vous savez. Imaginez qu'elles refusent que je fume ma pipe, soi-disant que ce n'est pas bon pour la santé. J'ai eu 102 ans le mois dernier et le médecin m'a dit que j'avais le cœur plus solide que le pont de Québec. Ce qui me révolte, ici, c'est de me faire traiter comme un enfant. Vous savez, madame Alice, j'ai encore toutes mes idées. Fumer une couple de pipes, c'est tout ce qui me restait de plaisir dans la vie. J'ai plus de parenté pour venir me voir, sans compter que les loisirs, ici, ça reste à discuter. On dirait qu'ils connaissent juste le bingo, puis les cartes. Je suis pas né de la dernière pluie. À ma connaissance, jamais on nous a demandé ce qui nous intéressait. Hé, garde ! Y aurait pas moyen que je fume juste une pipée ?

– Monsieur Dupuis ! C'est pas la première fois qu'on vous le dit. Vous n'avez pas le droit de fumer. D'autant plus que si je vous laisse faire, je vais me faire disputer.

– Vous avez pas de cœur, répond monsieur Dupuis, la gorge serrée. Vous comprenez rien des vieux ? C'est juste pour le plaisir de dire non. J'ai fumé toute ma vie…

Déçu, monsieur Dupuis se dirige vers sa chambre en cognant sa canne sur le plancher.

Mine de rien, Alice continue de faire rouler sa « Cadillac », pendant qu'au poste des infirmières on chuchote que monsieur Dupuis est de plus en plus agressif. Il faudra sans doute revoir sa médication avec le médecin.

« Mon Dieu, épargnez-nous, Philippe et moi, de vivre aussi vieux. Est-ce possible que tous et chacun décident pour nous, soi-disant pour notre bien ? On deviendrait agressifs à moins, bien sûr, nous aussi ; on nous drogue de façon à ce que l'on soit bien sage et toujours d'accord avec les décisions de l'établissement. »

Une visiteuse affolée sort de la chambre voisine de celle d'Alice en criant à tue-tête :

– C'est pas vrai ! C'est pas vrai !

– Voyons, madame, qu'est-ce que vous avez ?

– Garde, expliquez-moi pourquoi on a amputé une jambe à ma mère ? Pourquoi ?

— Faudrait demander ça à votre médecin, madame. Vous saviez sans doute que votre mère avait depuis un bon moment des troubles de circulation…

— Le médecin nous en a déjà parlé à mon frère et moi. Nous lui avions dit que, pour le moment, il n'était pas question d'amputer sa jambe. À 91 ans, nous espérions qu'on vienne la chercher et qu'elle ne se voie jamais avec un membre en moins. Vous l'avez opérée sans le consentement de la famille. Je suis certaine que ma mère n'aurait jamais accepté de signer. Alors dites-moi qui l'a autorisé ?

— Ce sont les autorités du centre d'accueil et la curatelle publique qui ont signé, madame.

— La curatelle publique ? Ben voyons donc, ça n'a pas de bon sens. Ma mère n'a jamais été sous curatelle ; elle a encore toute sa lucidité et, en plus, elle a deux enfants. Ce qui veut dire que, pour réussir à lui amputer sa jambe, vous l'avez fait passer pour confuse et avez décidé de la placer sous curatelle publique sans en parler. Qu'est-ce que vous diriez, vous, garde, si on faisait la même chose à votre mère ?

— Madame, je n'ai aucune responsabilité dans tout cela. Je vous conseille une fois de plus d'en discuter avec le médecin.

— Laissez faire le médecin. Ça va aller loin, cette affaire-là, je vous le jure !

Révoltée et baignant dans ses larmes, elle quitte le service.

☐

Un lourd silence s'installe. On dirait que c'est un secret des dieux. Au poste des infirmières, on chuchote en tournant la tête de tous les côtés, au cas où quelqu'un les surprendrait.

Alice tremble de tous ses membres. Réfléchissant, elle s'achemine vers sa chambre.

« Mon Dieu, faites-moi mourir, s'il vous plaît. Même Philippe et les enfants seront impuissants si l'on décide à l'avance de mon sort. À qui confier tous ces secrets, cette anxiété, ce désespoir ? Je n'en peux plus de vieillir et de découvrir, jour après jour, toutes ces injustices et cette violence. »

☐

Alice fait mine de dormir lorsqu'on ouvre la porte. Des bruits de pas pressés s'avancent au milieu de sa chambre avant que l'on chuchote :

— Ici, on pourra parler en paix. Elles sont toutes sourdes et madame Bernier a reçu un calmant pour ses rhumatismes. Tu vois, elle dort déjà.

— Veux-tu bien me dire quelle sorte de secret tu veux me confier ?

– Étant donné que tu travailles au centre d'accueil depuis à peine trois mois, tu ne dois pas être au courant qu'on a fait faire une enquête publique.

– Une enquête publique ? C'est grave…

– Imagine donc qu'une personne en autorité au centre d'accueil agissait comme curateur pour certains bénéficiaires de la résidence. Je m'explique. Considérant que certains d'entre eux n'ont pas de proches parents, cette personne était autorisée à puiser à même leur compte en banque quelques sommes d'argent pouvant servir à leurs besoins personnels. Tantôt, on pouvait acheter une paire de pantoufles ou une robe de chambre, tantôt donner une permanente ou même renouveler des prothèses. Il y a quelques mois, un patient est décédé et c'est à cette occasion que le centre a reçu la visite de son frère dont tous ignoraient l'existence, puisqu'il habitait en Floride. Ce visiteur a pris possession des quelques objets personnels de son frère et a demandé qu'on lui remette son compte en banque pour payer les frais d'enterrement. À sa grande surprise, la responsable de la comptabilité lui a avoué qu'il ne possédait plus que 200 $. Mais l'homme a insisté et a affirmé que son frère lui avait déjà dit qu'il conservait 3 000 $ pour qu'on puisse payer ses funérailles. La responsable a repris en disant qu'on avait dû lui acheter certains effets personnels et que la résidence avait

177

pu, à ces moments-là, retirer les sommes néces-saires. Mais l'homme s'est choqué et a répliqué que son frère était ici depuis deux ans, qu'il était paralysé et alité. Qu'il s'était fait dire, lors de son admission, que le savon était fourni et que c'était un employé qui s'improvisait barbier. Le seul vê-tement qu'il pouvait revêtir était une chemise d'hô-pital, étant donné qu'il était incontinent. L'homme a alors demandé de sérieuses explications et a exigé des preuves concernant ses besoins d'effets personnels. Une enquête publique a donc été de-mandée par je ne sais qui et nous venons de connaître les résultats. Cette personne en auto-rité qui pouvait agir comme curateur a perçu de l'argent de plusieurs comptes bancaires sans be-soins justifiés.

— A-t-on des preuves sérieuses ?

— On a donc découvert que le propriétaire du centre, monsieur L'Écuyer, a fait repeindre sa mai-son, fait ses parties de chasse, de golf et de pêche avec cet argent. Je voulais donc te dire de ne pas être surprise si tu ne le vois plus, parce qu'il a été congédié récemment.

— J'en crois pas mes oreilles...

— Il faut qu'on retourne travailler. Tu ne dis surtout pas que c'est moi qui t'ai appris la nou-velle. C'est entendu ?

— Évidemment ! Sois sans crainte.

C'est sur la pointe des pieds que l'on quitte la chambre. Alice ouvre à peine ses paupières, s'assurant bien de leur départ, puis elle fixe le plafond, s'allongeant confortablement sur le dos.

Sidérée par les confidences entendues, elle ne peut trouver aucun mot pouvant qualifier ces agissements. Pourtant bien consciente, elle s'efforce de se répéter qu'elle a fait un cauchemar et que personne au monde n'oserait profiter de ces malheureux.

Cette fois, c'en est trop. La violence, l'injustice et le manque de respect ont atteint leur paroxysme. Alice n'en peut plus. Jamais elle n'aurait crû que l'on puisse ainsi traiter des êtres humains. À la seule pensée que l'on puisse s'attaquer à elle, la nausée lui monte à la gorge. La « bobichonne » éclate en sanglots et son corps tremble un long moment. Comment sortir de cet établissement ? En fait, réussira-t-elle à en sortir un jour ?

Un mélange de crainte, d'insécurité et de profond désespoir l'envahit. Philippe et ses enfants la visitent fréquemment, mais jamais ces choses ne surviennent durant les heures de visite. Impossible de raconter tout ça à ses enfants. Certes, on la croirait confuse ou la guerre prendrait et elle subirait des représailles. Quant à Philippe, il survit à peine. Depuis son hospitalisation, il n'est plus que l'ombre de lui-même. Il a perdu son regard moqueur et ses prunelles se sont voilées d'une grande tristesse.

Comment une société qui se dit civilisée peut-elle en arriver là ? Son espoir de retrouver Philippe s'évanouit... La bataille est trop difficile pour sa petite personne. Un sentiment de profond désespoir et d'amertume la gagne. Malgré tout il lui faut s'accrocher. Un jour, elle verra la lumière au bout du tunnel. Philippe viendra chercher sa « bobichonne » les bras grands ouverts.

Épuisée, à bout de forces, elle glisse sa main sous son oreiller et s'empare de son chapelet, en guise de réconfort. Alice ferme les yeux et marmonne à mi-voix : «Je t'aime Philippe. Si tu savais comment j'ai mal à mon âme. Je n'en peux plus. Viens vite me chercher.»

□

Mais, au cours de la nuit, la « p'tite tête d'ange » s'envole impuissante et silencieuse.

Dans la petite chapelle pleurent en silence les gens qui se rappellent.

Vous étiez si belle.

Chapitre 15

Immédiatement après l'enterrement, parents et amis sont invités au restaurant, comme le veut la coutume. Durant le repas, Philippe, dans un mutisme complet, scrute longuement le visage de chacun de ses enfants. Impossible de deviner lequel d'entre eux sera le plus touché par cette absence. Les gens sont peu loquaces. L'appétit laisse à désirer. Les assiettes sont renvoyées à moitié pleines aux cuisines. Les yeux sont bouffis et l'on semble éviter les regards, de peur d'entraîner d'autres avalanches de pleurs.

Philippe se souvient bien qu'il y a un an la famille était réunie autour d'un souper gastronomique, à l'occasion de leur 50e anniversaire de mariage. Jamais il n'aurait pu s'imaginer à ce moment-là que sa « bobichonne » était aussi fragile.

Ses yeux s'humectent et quelques éclats de voix attirent son attention. À sa gauche, on a dressé une table pour les petits-enfants. Ceux-ci, encore trop jeunes pour réaliser les conséquences de ce départ, se taquinent en dévorant le repas d'adieu.

«Pauvres petits! pense Philippe. Souriez, sautez, dansez! La vie est si courte. Bientôt vous serez adultes. Le souvenir de votre grand-mère s'effacera si vite de votre mémoire d'enfant. Seules quelques photos viendront à l'occasion vous rappeler que votre grand-maman n'y est plus.»

Les invités se retirent en souhaitant une bonne dose de courage à chacun. Philippe, chancelant, se laisse guider par son fils aîné qui l'invite à monter dans la voiture. Le voyage de retour semble durer une éternité, et les sujets de conversation sont peu nombreux.

Ce n'est que vers la fin de l'après-midi que l'on rentre à Montréal. Tel que convenu, chacun se dirige chez Gabriel pour assister à la lecture du testament olographe d'Alice. Testament qui se révèle assez simple.

Alice demande qu'un service religieux soit célébré en l'église de Saint-Pierre-de-Montmagny. C'est dans cette campagne qu'elle a vécue et c'est dans cette église qu'ils se sont épousés. Ce qui a été fait, puisque tous connaissaient ses dernières volontés. Dix messes seront chantées. Philippe choisira l'endroit. Quant à ses biens personnels, ils sont tous destinés à son époux, à deux exceptions. Son « moulin à coudre » est offert à Françoise, la couturière de la famille, et son diamant à sa petite-fille Mélissa, son unique filleule.

Tout en bas de son testament, une demande un peu spéciale est adressée à Françoise. Cette dernière est chargée d'acheter quatre douzaines de roses rouges. Roses qui devront être réparties entre Philippe, les enfants et chaque petit-enfant. Le tout devra se faire au lendemain des funérailles.

« *Un dernier souffle de vie,*
Un souvenir parfumé,
Le temps d'une rose. »

C'est ainsi qu'Alice exprime ses dernières volontés.

Chapitre 16

Cette pénible journée terminée, Philippe refuse énergiquement les invitations. Il préfère retourner seul dans son île. Malheur à celui ou celle qui improviserait une visite pour le réconforter !

— Je n'ai besoin de personne. C'est dans la solitude que je m'approcherai le plus de votre mère. Surtout, ne vous apitoyez pas sur mon sort. Je déteste la pitié.

Simon, connaissant bien le caractère déterminé de son, papa comprend vite que toute insistance est vaine. Un regard attendri, une poignée de main chaleureuse et Philippe descend de la voiture.

Lentement et sans se retourner, il monte les quelques marches, prend une profonde respiration, dans laquelle il puise le courage dont il aura besoin. Philippe saisit la poignée et ouvre la porte qu'il referme aussitôt derrière lui. Les phares de l'automobile s'éloignent pour disparaître rapidement. Sa main tremblante tâtonne le mur jusqu'à l'interrupteur. La cuisine s'illumine. Comme cette maison est froide. Un frisson glacial lui parcourt l'échine. Rien n'a bougé et pourtant rien n'est pareil. Philippe constate toute l'ampleur de sa perte.

À pas feutrés, il entreprend de visiter une à une chaque pièce de la maison, tout comme s'il espérait trouver Alice dans un recoin, bien cachée. Debout dans la cuisine, il admire ce vieux poêle à pont dont Alice a toujours refusé de se défaire. Sur le rond arrière, la théière est prête à recevoir les visiteurs. Sa « bobichonne » veillait à ce qu'elle soit toujours bien pleine et profitait en même temps de son fumet. Devant la fenêtre, la grosse chaise berçante avec son gros coussin tricoté : celle qui berçait Alice pendant qu'elle admirait son potager est maintenant immobile. Sur le grand mur, la pendule, à jamais épuisée, répète depuis nombre d'années son tic-tac synchronisé. Philippe balance la tête en imitant le mouvement de l'horloge.

« Toujours, jamais… Toujours, jamais ! »

Philippe pleure, s'avance et lève le poing en le brandissant vers le mur.

« Toujours, je t'ai aimée. »

Son poing se soulève de nouveau. Cette fois, il heurte le balancier de la pendule qui s'immobilise sous le choc.

« Jamais tu ne reviendras. »

Sanglotant, il se dirige vers sa chambre ; juste au-dessus de la porte, un crucifix qu'il n'ose regarder. Jamais il ne lui pardonnera de lui avoir repris Alice. Longuement il fixe le lit. Il se rappelle le soir où il avait étendu la chemise de nuit de soie à ses côtés. Philippe hume le parfum du jasmin, sachant très bien qu'il s'envolera tout comme Alice, avec le temps.

La visite se poursuit au salon. Les quatre murs regorgent de souvenirs que Philippe voit osciller derrière ses larmes. Tout semble bouger. Photo de leur mariage, Alice était si belle. À droite, des clichés de première communion des enfants, de leur remise de diplôme, de leurs noces et, près de la draperie de velours bleu, une série de petits médaillons représentant leurs petits-enfants.

La gorge de Philippe respire à peine à la vue de ces petits visages qui le fixent si naïvement. Une chaleur bienfaisante s'empare de lui. Lentement, il s'approche et saisit le cadre ovale affichant la photo de leur mariage. Ses doigts vont et viennent en caressant le visage de sa douce et de son petit chignon blanc.

Un sanglot bruyant jaillit de lui.

« N'aie pas peur, Alice. Tu resteras toujours la plus belle à mes yeux. Bonne nuit, ma bobichonne... Surtout, souviens-toi de moi ! On se retrouvera bientôt. »

La photo replacée, il longe le corridor à la façon d'un homme ivre. Devant la porte de sa chambre, il s'arrête, lève la tête et affronte le crucifix.

« Mon Dieu, pourquoi Alice ? Pourquoi pas moi ? Jamais je ne pourrai vivre sans elle et ça vous le savez... Jamais je ne vous pardonnerai d'être venu la chercher. C'est pas juste. »

Philippe tente de se ressaisir. Un bon thé et sa pilule pour dormir soulageront sa révolte qu'il ne peut contrôler.

Chapitre 17

Au lendemain des funérailles, Françoise s'est levée tôt. En compagnie de son époux, Édouard, elle déjeune sur la terrasse.

— Je m'attendais à ce que tu fasses la grasse matinée, Françoise. Tu es encore toute pâle d'épuisement. Il va falloir que tu songes à te reposer avant de reprendre le boulot.

— Je sais. Tu as raison. Sans doute as-tu oublié la corvée dont m'a chargée maman.

— Tu penses à l'achat des roses et à leur distribution ?

— Eh oui ! Soit dit en passant, plus vite ce sera fait, mieux ça ira. Quelle idée ! Comme si j'avais le cœur à la fête. Je vois déjà la réaction du fleuriste : « Quarante-huit belles roses rouges, sans doute préparez-vous une grande fête ? Encore des fleurs qui feront des heureux. Bonne journée madame. »

– Pauvre Alice ! Quelle habileté pour prolonger son départ. C'est comme si elle voulait nous obliger à ne pas l'oublier.

– Je dois maintenant te quitter, mon chéri. Inutile de te dire que je ferai la tournée familiale le plus rapidement possible. Je vais tout d'abord visiter Solange et Marina, puisqu'elles rentrent en Californie. Gabriel a proposé de m'accompagner. J'en suis très heureuse. Ce sera probablement moins pénible. On finira par papa. J'ai préparé une petite collation dans mon panier d'osier. Sans doute papa sera-t-il content de partager avec nous ces petits délices.

– Et si moi je te proposais de t'emmener souper au restaurant ?

– J'accepte avec plaisir, Édouard. T'ai-je déjà dit que tu étais le plus merveilleux des maris ?

– Pars vite avant de trop en rajouter. J'aurais peur de ne pas me reconnaître.

– Entendu, on se revoit pour le souper.

– Bonne journée. Tu verras, tout ira bien.

À la boutique de fleurs, aucun commentaire de la part du fleuriste, à la grande surprise de Françoise. Celle-ci place minutieusement les roses sur la banquette arrière de son véhicule. Il serait normal que chacune d'elles parvienne à son destinataire en parfait état. Françoise a toujours aimé les choses bien faites, comme elle se plaît à le répéter.

Quelques instants plus tard, le parfum des roses a vite fait d'embaumer tout l'espace. Un sentiment étrange s'empare d'elle. C'est comme un prolongement du salon mortuaire. Françoise conduit et n'ose regarder derrière, de peur qu'Alice lui apparaisse. Le silence est lourd. Les fenêtres grandes ouvertes ne suffisent pas à chasser cette odeur de mort. Machinalement, elle ouvre la radio. Un air disco retentit. Alice n'apprécierait guère. La radio est aussitôt éteinte. Françoise prend le dernier virage.

– Ouf! Enfin chez Gabriel. Quel soulagement! À partir de ce moment, j'aurai au moins de la compagnie. J'espère qu'il n'aura pas changé d'idée.

L'auto est encore en marche lorsque Gabriel sort sur son balcon.

– Bonjour, petite sœur. Ça va?

– Merci d'être là. Sans toi, je pense que…

– Voyons! Voyons! Entre vite. Ma femme nous a préparé un bon café. Tu verras, tout ira bien. Compte sur moi.

– Bonjour, Françoise, assieds-toi.

Les salutations sont brèves. La voix de Françoise se lézarde lorsqu'elle présente les six roses destinées à la famille de Gabriel.

– Eh bien voilà, elles sont pour vous.

Sa gorge se serre. Impossible de rajouter un mot. Au fait, est-ce nécessaire ? Sur la table de la cuisine, un vase en verre taillé, rempli d'eau, accueille le dernier souvenir de la disparue. Décidément, il n'aurait pas fallu que Françoise veuille se soustraire à son engagement. Tout était prêt.

Le début de la tournée est facile. Solange et Marina saisissent chacune une rose, prétextant que les minutes sont comptées. Les valises sont bouclées. Marina appelle un taxi pour se rendre à l'aéroport. On souhaite alors un bon voyage, espérant les revoir bientôt dans une atmosphère plus sereine.

Lors de la visite chez Élise, les choses se corsent un peu. Étant la cadette de la famille, ses enfants sont encore très jeunes. Élise insiste pour donner à chacun d'eux la rose qui leur est destinée.

– Guillaume, viens voir maman.

Ce petit espiègle aux cheveux platine aura bientôt six ans. Se pointant le bout du nez dans l'encadrement de la porte du salon, il hésite un moment, puis s'avance vers sa maman.

– Guillaume, voici le dernier cadeau que grand-maman t'offre. Tu peux prendre ton vase en céramique et y ajouter un peu d'eau. Ce sera très joli, tu verras.

Le bambin prend la rose et la jette sur le parquet.

— C'est pas vrai que grand-maman est partie. Papa m'a dit qu'elle est morte. Tu dis des mensonges, maman.

Visiblement ébranlé et furieux, il grimpe à toute allure l'escalier et s'enferme dans sa chambre. Des regards s'échangent. Quelle réaction imprévisible. Élise rompt le silence.

— Ce n'est grave. Je lui parlerai ce soir. Ne vous en faites pas pour ça.

— Francis, Pierre-Luc ! Venez au salon.

Les mains se tendent, un large sourire en dit long. Francis s'exclame :

— Que ça sent bon, maman. La semaine dernière, j'ai appris aux loisirs comment on conserve les roses. Comme ça grand-maman sera toujours avec moi.

Pierre-Luc, lui, préfère ne garder que quelques pétales pour placer dans son livre d'histoires.

— Merci beaucoup, tante Françoise.

Le regard attendri, les deux garçons se pressent contre les joues de leur tante.

— Vous prendrez bien un café ?

— Non merci Élise. Nous ne sommes qu'à la moitié de la tournée. Tu comprendras qu'on ne peut prendre un café à chaque place si l'on veut en finir. Merci quand même.

— Revenez nous voir.

Une trentaine de minutes plus tard, la voiture s'immobilise devant le 180 du boulevard Saint-

Joseph. Cécile se jette en sanglots dans les bras de ses visiteurs. Quelques minutes s'écoulent avant qu'elle se maîtrise.

−Venez à l'autel. On va dire un « Je vous salue Marie » pour maman.

Françoise jette un coup d'œil à son frère sans dire un mot. Pauvre Cécile ! C'est à croire qu'elle commence une cinquième dépression nerveuse, avec ses délires religieux. Sa chambre est transformée en chapelle. Une statue de la Sainte Vierge règne sur une table de coin. Partout des lampions allumés, des fleurs de plastique, et une forte odeur d'encens chatouille le nez. On se croirait au département des miracles d'une basilique. Cécile s'agenouille respectueusement et les invite à faire de même. La prière terminée, Cécile accepte la rose et l'offre aussitôt à la Sainte Vierge.

−Je vous remets un peu de ma maman entre vos bras. Promettez-moi de toujours la garder auprès de vous.

Cécile indique à ses visiteurs qu'ils doivent maintenant quitter sa chapelle.

−Merci de m'avoir amené maman.

Elle leur ouvre la porte.

−Au revoir, Cécile.

La deuxième partie du pèlerinage s'effectue sans trop de pincement au cœur. On dirait que le reste de la famille s'est donné le mot pour ne pas éterniser ce moment pénible.

Il presque 15 h.

– On a enfin fini, ma petite sœur.

– Disons qu'il n'est pas trop tôt.

– Mission accomplie !

– Allons chez papa maintenant. J'ai hâte de le voir. Son état m'inquiète. Pas toi ?

– Perdre sa femme à cet âge-là n'est pas chose facile. Il conservait toujours l'espoir que maman revienne à la maison. C'est un choc pour lui. Par contre, c'est un homme fort. J'ai confiance qu'avec le temps il reprenne goût à la vie. Tu verras.

La tension est tombée. Il ne reste qu'une rose à donner, mais non la moindre. Gabriel s'empresse d'ouvrir la portière.

– N'oublie pas ton panier de gourmandises.

– Gabriel, j'aimerais que ce soit toi qui offres...

Sans lui laisser le temps de terminer sa phrase, il prend la rose sur la banquette.

– D'accord, viens vite. J'ai hâte de déguster tes petites bouchées.

– Gourmand, va !

Bras dessus, bras dessous, frère et sœur se retrouvent sur le balcon entourant la maison. Gabriel appuie son index sur la sonnette. Françoise, sur la pointe des pieds, colle son visage à la vitre et surveille l'apparition de son père.

— Papa a raison de dire qu'il est de plus en plus sourd. Sonne encore, tu veux ?

— À cette heure-ci, il doit faire sa sieste.

— Tiens, la porte n'est pas fermée. C'est bien lui. Allons le surprendre !

Ils pénètrent dans la cuisine d'été.

— Papa, c'est moi Françoise. Je ne te réveille pas, j'espère ? Je t'apporte tes plats favoris.

Gabriel dépose le panier d'osier sur le comptoir et s'apprête à mettre la nappe. Françoise longe le corridor sur la pointe des pieds.

— Hou ! hou ! Papa, es-tu là ? C'est moi.

Françoise pénètre dans la chambre.

Un hurlement hystérique retentit. Gabriel se précipite.

Françoise, livide, appuyée sur le cadre de la porte, s'effondre sur le sol. Gabriel frappe nerveusement son visage.

— Ouvre les yeux, bon Dieu ! Françoise !

Lentement, sa tête tourne. Ses yeux s'ouvrent. Son corps tremble.

— Veux-tu bien me dire ce qui t'arrive ? Je vais t'aider à te relever.

— C'est papa, c'est papa.

Gabriel pénètre brusquement dans la chambre. Simultanément, Françoise, chancelante, se rend au téléphone.

— Édouard, viens vite, je t'en supplie, vite !

— Mais où es-tu ? Écoute-moi. Dis-moi où tu es.

— Chez papa, vite !

— J'arrive. Dis-moi ce qu'il y a, je t'en prie.

— Papa s'est pendu.

— Ah non ! C'est pas possible. Est-ce que Gabriel est avec toi ?

— Il est dans la chambre.

— J'arrive, ne bougez pas.

Françoise dépose le récepteur et rejoint son frère. Effondrés sur le pied du lit, ils pleurent à perdre haleine. Le spectacle est saisissant. Philippe est suspendu à la porte du placard, le visage cyanosé et les yeux ouverts.

— Pauvre papa, quel crime tu as commis pour rejoindre maman.

Des pneus crissent. Françoise et Gabriel se lèvent. La porte de la cuisine s'ébranle. Édouard entre en coup de vent. Françoise s'élance dans ses bras.

— Édouard !

— Je suis là.

Enlacés, ils hurlent leur peine, leur désespoir.

Après un bon moment, Édouard se redresse et se rend auprès du cadavre. Quelques minutes s'écoulent avant qu'il ne revienne dans la cuisine.

– Asseyons-nous un moment. Ensuite, nous aviserons la police.

– Mon chéri, qu'est-ce que tu tiens dans tes mains ?

Gabriel tire une chaise pour sa sœur.

– Assieds-toi.

Avant d'entrer dans la chambre, j'ai jeté un regard au crucifix suspendu au-dessus de la porte. J'espérais qu'il me donne la force d'envisager ce que j'allais voir. C'est là que j'ai vu ce papier, juste derrière le crucifix.

– Le pire est arrivé. Je pense que l'on doit maintenant prendre connaissance de ce qu'il y a sur ce papier.

Édouard, d'une main nerveuse, déplie soigneusement le papier taché de larmes. Sa voix se lézarde. Il lit.

« Je ne vois plus qu'à peine les enfants qui ont grandi de notre amour. Mes yeux sont devenus si lourds que mes paupières se ferment seules. Je t'aime, toi qui as su profiter de la nuit pour t'enfuir seule. Insouciante et déjà trop usée, tu nous as laissés, sans te soucier de la profondeur du fossé creusé par ton départ. La maison n'est plus qu'un cercueil décoré de mille et un souvenirs. L'odeur de tes épices préférées et ton parfum de jasmin embaument encore la cuisine et la chambre, abbaye d'une retraite que l'on souhaitait heureuse. Mes enfants, saurez-vous me pardonner cette lâcheté ? Mes petits-enfants, envisagerez-vous l'avenir comme une raison d'être ? Pourrez-vous vieillir en toute sérénité au milieu des vôtres ? Si oui, peut-être que le monde aura changé... Et toi, ma bobichonne, seras-tu au rendez-vous pour m'accueillir sur ton sein, afin que je puisse t'expliquer combien tu m'as manqué. La folie s'empare de moi et je refuse qu'elle m'emprisonne à mon tour Je suis fou... d'Amour...

Philippe xxx »

Chacun se tait l'un devant l'autre
Gardant la même obscurité...

Combien de choses ils se cachent mutuellement
Craignant de blesser l'autre davantage
Le sachant bien épuisé... bien usé... déjà trop
meurtri.

Ferons-nous la lumière
Sur cette zone grise et trop secrète ?
Le ferons-nous ?
Si oui, peut-être que le monde aura changé...

Cet ouvrage a été composé en New Century Schoolbook
corps 13 / 17 et achevé d'imprimer au Canada en août 2005
sur les presses de Quebecor World Lebonfon, Val-d'Or.